Анна МАКАРОВА

РУССКАЯ ПОВАРЕННАЯ КНИГА

ПО ИЗДАНИЮ 1880 г.

МОСКВА
2016

УДК 641.55(470)
ББК 36.997
М15

Макарова, Анна.

М15 Русская поваренная книга / Аанна Макарова. — По изд. 1880 г. — Москва : Издательство «Э», 2016. — 256 с. — (Кулинария).

ISBN 978-5-699-85315-1

«Ах, как вкусно пахнет!», — говорим мы, когда услышим какой-то невероятный запах. Аромат, который возбуждает аппетит. Эта книга подобна сказочной скатерти-самобранке, из которой появляются невероятные похлебки, наваристые борщи с жареными карасями, мясные и рыбные жаркое, холодные заливные и студни с языком, ветчиной, белорыбицей; пирожки, кулебяки, расстегаи, блины и начинки к ним; соусы к рыбе, мясу, овощам, грибам; пудинги, куличи, пирожные, кремы, мороженое... Дух захватывает. И готовить — одно удовольствие!

УДК 641.55(470)
ББК 36.997

ISBN 978-5-699-85315-1

ОГЛАВЛЕНИЕ

ПРЕДИСЛОВИЕ К СОВРЕМЕННОМУ ИЗДАНИЮ

Что приходит в голову, когда говорят «русская кухня»? Одна мысль: «щи да каша — пища наша», скудный набор продуктов, простые, немудреные блюда. Другая мысль совершенно обратного свойства: пир горой, как в знаменитом фильме «Иван Васильевич меняет профессию»; тяжелые роскошные кушанья, явно не на каждый день. Что ж, в русской кухне действительно присутствует и то и другое. Однако между этими полюсами — великое множество блюд и их вариаций, которые могут удовлетворить практически любого едока.

И это неудивительно. Русская кухня веками впитывала разные кулинарные традиции — как народов, населяющих Россию, так и иностранцев. Поэтому в предлагаемой книге наряду с такими сугубо русскими блюдами, как тельное, репник, расстегай и т. д., вы найдете польские, немецкие, итальянские, английские и особенно французские блюда (что вполне объяснимо, если учесть время выхода сборника — 1880 год). Всякие там гаше, фрикасе, пудинги, паштеты и другие «заморские чуда гастрономии» благополучно прижились на российской почве, приспособились к отечественным продуктам и получили новые оттенки вкуса. Так что они по праву занимают место в «Русской поваренной книге Анны Макаровой».

Прошло уже почти полтора века с тех пор, как автор собрала вместе рецепты интересных, вкусных и, что очень важно, легко приготовляемых в обычных домашних условиях блюд. Большинство предложенных рецептов не требуют каких-то особенных ингредиентов — практически все необходимые продукты можно приобрести в любом супермаркете. Не настаивает автор и на обязательном применении сложных поварских приемов. Одним словом, эта книга действительно для всех.

Госпожа Макарова придала своему сборнику четкую структуру. Так, открывается книга общими наставлениями о том, как выбирать качественные продукты, как разделывать мясо, чистить рыбу и т. д. Каждый раздел начинается с описания принципов и тонкостей

приготовления той или иной категории блюд. Затем автор приводит сами рецепты, причем с возможными вариациями, что вдохновляет на кулинарное творчество и помогает сделать домашний стол разнообразным.

Есть у книги еще одна заслуживающая внимания особенность: здесь предлагаются постные варианты приготовления многих блюд. А это наверняка заинтересует как тех, кто следует церковным традициям, так и тех, кто придерживается вегетарианской диеты.

Новое издание имеет ряд отличий от оригинала 1880 года. Например, рецепты оформлены иначе (при этом их содержание, разумеется, нисколько не пострадало). Это сделано для того, чтобы практическое использование книги стало более удобным. Орфографию и грамматику мы привели в соответствие с современными языковыми нормами, а старинные русские меры веса, объема и длины заменили (конечно же, соблюдая пропорции) единицами метрической системы измерений. Кроме того, в современном издании есть небольшой словарик, объясняющий значение устаревших, малоупотребительных, иностранных и диалектных слов и выражений, и алфавитный указатель блюд.

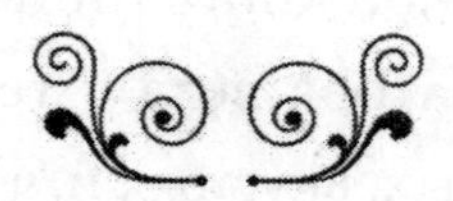

Общие наставления

Для того чтобы при малых расходах иметь хороший, здоровый и вкусный стол, нужно прежде всего:

1) понимать толк в провизии, уметь определять ее количество и знать цены на нее в разное время года;
2) знать точно развес, то есть выдачу провизии мерой и весом;
3) быть хорошо знакомым с правилами приготовления различных кушаний, зная в точности, сколько чего на то или другое из них требуется;
4) уметь выгодно распоряжаться провизией, то есть так, чтобы ничто не пропадало даром;
5) наблюдать за чистотой и экономией в хозяйстве, чтобы все изготовлялось опрятно, здорово, вкусно и с возможно меньшими расходами.

Говядина

Говядина подразделяется на несколько сортов, которые необходимо знать хозяйке, так как каждый из них идет на приготовление различных кушаний. О разных сортах говядины и соответственном употреблении их будет сказано ниже, при описании приготовления отдельных кушаний.

Говядину, предназначенную для приготовления того или другого кушанья, нужно хорошенько обмыть в холодной воде и слегка отжать, но никак не отжимать крепко и не давать долго лежать в воде, так как вода вытягивает из говядины сок, вследствие чего она теряет вкус и питательность. Если же говядина мерзлая, то ее нужно с вечера или по крайней мере за несколько часов до приготовления залить холодной водой и держать в ней до тех пор, пока не оттает. То же относится к телятине, баранине, свинине и поросятам, но если желают, чтобы последние были белыми, то нужно мочить их несколько часов в воде или молоке. Однако они теряют от этого часть своей питательности.

▶ Примечание. Телятину не следует мочить вместе с говядиной, бараниной или свининой, так как она получает от этого в первом случае — красный цвет, а в последних двух — неприятный вкус.

Домашняя птица и дичь

Домашнюю птицу и дичь нужно прежде всего очистить от перьев. Для этого или просто выщипывают перья и пух, или сперва обмакивают птицу в кипяток. В последнем случае живность чистится легче, но не следует надолго класть ее в горячую воду, так как иначе сварится кожа. Очистив птицу от перьев и пуха, опалить ее на бумаге или соломе (если она обваривалась, то нужно сперва насухо обтереть ее) и выпотрошить. Для этого нужно сделать разрез заднего прохода или сбоку, под ляжкой, вытянуть все внутренности, то есть кишки и прочее, разрезать, очистить зоб и вытянуть из него пищеприемное горло. Выпотрошив птицу, ее перемывают в нескольких водах (холодной), натирают изнутри и снаружи солью (для гуся и индейки нужно взять всего две столовые ложки, для каплуна, утки и курицы, а также всякой дичи, кроме мелкой, — две чайные ложки) и дают ей полежать один час. Голова, крылышки и лапки отрубаются (первая оставляется только у цыплят и кур). Их можно варить для крепости в бульоне.

Поросята

Поросят лучше покупать уже очищенными, но если бы случилось купить неочищенного или колоть дома поросенка, то нужно поступать следующим образом: дав вытечь из него крови, положить на полчаса в холодную воду, а потом минуты на две или на три в крутой кипяток с золой, остерегаясь заварить кожу, потому что в таком случае она будет вырываться с шестью. Затем, вынув из воды, очистить от шести, стараясь не повредить кожу. Если мелкие волоски не очищаются, то опалить поросенка на бумаге, лучине или соломе. Очистив таким образом поросенка от шерсти, вымыть его в теплой воде, натереть отрубями и дать полежать в них час или два; но если он хорошо очищен, то можно обойтись и без отрубей.

Заяц

Зайца приготовляют следующим образом: сняв с него шкурку, проколоть остроконечным ножом покрывающие его плевы (лучше всего делать прокол на крестце) до мяса и осторожно стянуть их со всего зайца, не повреждая мяса. Для того чтобы плевы легче отставали и стягивались, хорошо помочить его с вечера или по крайней мере на несколько часов в уксусе[1] с водой или квасом, отчего вместе с тем он делается мягче, нежнее и вкуснее. Сняв плевы, обрубить нижние суставы лапок и голову, выпотрошить зайца, для чего сделать продольный разрез вдоль всего живота и груди, вымыть в двух или трех водах, отжать, натереть солью (полторы столовые ложки соли) и дать полежать час. Для жаренья берут обыкновенно только ноги и хребет, ребра же и пашину живота отрезают, но для некоторых блюд жарят и цельного зайца.

Рыба

Рыбу нужно прежде всего очистить от чешуи (за исключением бесчешуйной, например угрей, налимов и прочих). Для этого, сполоснув рыбу в холодной воде, кладут ее на стол или доску и, схватив пальцами левой руки за плавательные перья хвоста, соскребают ножом (который нужно поставить ребром) чешую по направлению от хвоста к голове. Рыбу крупную и с крепко сидящей чешуей нужно предварительно обдать горячей водой, но остерегаясь заварить кожицу. Со стерляди счищают только мелкую чешую на животе, крупную же на спине не счищают. Бесчешуйную рыбу обдают горячей водой и счищают с нее ножом слизь.

Очистив таким образом рыбу, ее вымывают в холодной воде, потрошат, то есть вынимают внутренности. Для этого у крупных рыб делают продольный разрез живота, начиная тотчас же под головой и до отверстия у брюшного плавательного пера, и вынимают внутренности;

[1] Крепость уксуса в рецептах не указана, поэтому при приготовлении блюд стоит ориентироваться на слабый уксус (3–6%). — Прим. ред.

у мелкой же их вытягивают острием ножа или через жабры, или через поперечный разрез, который делают на брюшной стороне, тотчас под головой. При этом нужно поступать осторожно, чтобы не раздавить желчи, потому что в таком случае сама рыба и приготовленные из нее блюда получают горький вкус. Все внутренности, за исключением икры, молок и печенки некоторых рыб, например налимов, выбрасываются. Икру и молоки можно и не вынимать из рыбы, особенно мелкой. Плавательный пузырь некоторых рыб, например карпов, употребляют для осветления ухи.

Выпотрошив рыбу, ее надо хорошо перемыть в холодной воде, дать стечь последней, натереть или обсыпать внутри и снаружи мелкой солью (на 400 граммов рыбы взять 1 чайную ложку соли вровень) и дать полежать полчаса. Само собой разумеется, что нет надобности солить соленую рыбу, которую, напротив того, вымачивают час или два в холодной воде, для того чтобы сделать ее менее соленой.

▶ Примечание. Если употребляется мороженая рыба, то ее нужно предварительно положить в холодную воду и держать в ней до тех пор, пока она не отойдет и не сделается мягкой; тогда ее можно чистить.

Коренья, овощи и зелень

Коренья надо очистить от верхней кожицы, которая всегда бывает более или менее покрыта землей. Для этого обрезают с одной стороны то место, на котором корень соединяется со стеблем, а с другой — тонкий конец, равно как все тонкие корешки или хвостики, если таковые имеются, и соскабливают ножом дочиста верхнюю кожицу; если же она очень стара и землиста, то лучше срезать ее. Самый молодой картофель, на котором еще не образовалось землистой кожицы, можно просто положить в холодную воду и мешать палкой до тех пор, пока он не сделается совершенно чистым. Картофель постарше, а также молодая репа, брюква и прочие круглые коренья соскабливаются ножом; со старых же картофеля и круглых кореньев, равно как с пастернака, сельдерея и земляных груш верхняя кожица срезается ножом. Очистив

коренья, их перемывают в холодной воде и просто разрезают на более или менее мелкие части, или шинкуют, или нарезают кружочками, или же вырезают звездочками и другими фигурами.

Зелень нужно хорошенько перебрать, оборвать корешки, а у старой — и стебельки, и перемыть в нескольких водах (холодной), чтобы совершенно очистить от земли и песка. У капусты нужно обрубать кочерыжку и верхние листья.

Как узнавать свежесть и достоинство провизии

Само собой разумеется, что кушанья могут быть здоровы и вкусны только в таком случае, если они приготовлены из свежей и доброкачественной провизии. Поэтому каждая хозяйка должна уметь отличать свежую провизию от несвежей, доброкачественную от недоброкачественной и подмешанной.

Свежесть и достоинство *говядины, телятины, баранины и свинины*, равно как ощипанных домашних птиц, узнается по запаху и внешнему виду. Хорошая свежая говядина имеет ярко-красный цвет, не слишком толстые, грубые волокна, приятный свежий мясной запах и не должна быть слишком кровяниста; жир ее должен быть желтоватым с нежным розоватым оттенком. Телятина должна быть белая (особенно жир), с нежным розоватым оттенком. Баранина — не слишком красной, жир ее — белого цвета. Лучше брать мясо от тонкохвостых баранов. Хорошая свинина имеет мясо равномерного бледно-красного цвета, слой жира в палец или полтора толщиною белого цвета с легко розоватым оттенком (жир должен без остатка растираться или таять между пальцами) и гладкую чистую кожицу или шкурку (шкварку).

Домашнюю птицу нужно выбирать хорошо откормленную, жирную и не старую. Мясистость ее узнается ощупыванием; для того же, чтобы узнать, жирна ли она или нет, лучше всего несколько отогнуть края заднего прохода: если они изнутри заплыли жиром, то птица жирная. Возраст птиц узнается по ногам: у старых они покрыты грубою, мозолистою, рубчатою тканью и снабжены крепкими

толстыми когтями. Кур лучше выбирать с серыми лапками и избегать со светло-желтыми.

▶ Примечание. Если попадет старая птица, то она уваривается легче, если варить вместе с ней кусок хрусталя.

Труднее узнать *свежесть дичи*. Для этого нужно выщипать несколько перьев на спине и животе, раздуть пушок и посмотреть и понюхать. Если мясо оказывается свежего красноватого или слегка синеватого цвета и имеет свежий дичный, но никак не посторонний или гнилостный запах, то дичь свежая. Нужно также тщательно осмотреть место прострела, так как там прежде всего заводятся черви.

▶ Примечание. Дичь с легким душком можно исправить, положив ее на несколько часов в уксус.

Свежесть уснувшей, не мороженой *рыбы* узнается по глазам и жабрам. Если глаза светлые и жабры ярко-красного цвета[2], то она свежая. Хорошая мороженая рыба должна иметь светлые выпуклые глаза и полный живот, так как вследствие порчи первым делом тускнеют глаза и вваливается живот. Несвежесть соленой рыбы узнается по желтоватому или ржавому цвету мяса, дряблости его, неприятному своеобразному запаху и тому, что кости отстали от мяса.

Свежесть и полнота *яиц* узнается следующим образом:

1) свежее полное яйцо тонет в воде;

2) если поднести его к уху и трясти, то оно не болтается;

3) если, прикрыв яйцо сверху рукой, держать его на солнце или перед зажженной свечой, то свежее оказывается совершенно полным, белок светлым и в нем нет темных пятен;

4) свежие яйца потеют вблизи огня, старые — нет;

5) если по приложении языка к обоим концам яйца тупой конец окажется теплее острого, то яйцо годно для употребления, если же температура их одинакова, то нет.

---

[2] Впрочем, и тут бывают обманы. Поэтому нужно не только осмотреть жабры, но и потереть их полотенцем, платком или просто пальцем, так как торговцы намазывают жабры кровью, чтобы придать им красный цвет.

Свежесть *масла* узнается по вкусу; различные же подмеси, как то: мел, гипс, глина, мука, крахмал, песок и прочее, открываются при растапливании масла, причем они оседают на дно сосуда. Однако их можно также ощутить и на язык.

Хорошая *мука* должна быть желтовато-белой, а не голубовато-белой; на ощупь зернистой, но сухой и мягкой; в руке, как бы крепко ни сжать ее, мука не должна скатываться в комок, а выдвигаться между пальцами; по раскрытии руки оттиски не должны тотчас исчезать и мука, не образуя комков, должна опять совершенно рассыпаться. Мука должна иметь сладковатый, а не кисловатый вкус, не должна хрустеть на зубах, иметь неприятного, особенно затхлого запаха; замешанная с водой в тесто должна скоро твердеть; свежее тесто должно быть вязкое, растяжимое и эластичное, так чтобы мялось и вытягивалось, не разрываясь.

Горох нужно всегда выбирать средний, а не крупный, беловатый, а не желтый, и притом морщинистый, так как такой горох легче разваривается.

Посуда

Мы уже сказали, что особого внимания заслуживает посуда, в которой приготовляется кушанье. Особенно надо следить за медною посудой: как скоро в ней покажутся красные пятна или большие царапины, то нужно отдать ее вылудить. Вновь вылуженную посуду нужно прокипятить с водой и золой, потом вымыть ее, вытереть и затем уже готовить в ней кушанье. Медная посуда чистится снаружи особым порошком и маслом, или кислотой и натертым кирпичом, а внутри вымывается водой с мылом или с золою, затем ополаскивается чистой водой и вытирается насухо. Чугунная и железная посуда моется водой с мылом, ополаскивается чистой водой, вытирается насухо и выжаривается в печке. Деревянная моется водой с мылом.

Не следует долго оставлять кушанья в медной, чугунной и железной посуде, а держать ее в стеклянной или каменной.

О количестве провизии

Пропорция во всех приведенных ниже кушаньях назначена на четыре человека. Если же требуется изготовить то или другое кушанье на большее или меньшее число лиц, то нужно увеличить или уменьшить пропорцию в соответственной постепенности (за исключением супов, о которых будет сказано особо), а именно:

для 1 лица берется в четыре раза меньше показанного количества провизии;

для 2 лиц — в два раза меньше;

для 3 лиц — берется три четверти показанного количества провизии;

для 5 лиц — на четверть больше;

для 6 лиц — в полтора раза больше;

для 7 лиц — на три четверти больше;

для 8 лиц — в два раза больше;

для 10 лиц — в два с половиною раза больше.

Каждая хозяйка, желающая готовить по нашей книге, должна прежде всего изучить все изложенные здесь и в каждом разделе особо общие правила, чтобы вполне ознакомиться со всеми приемами приготовления разных блюд.

Раздел I

Горячие мясные супы

ОБЩИЕ ПРАВИЛА ПРИГОТОВЛЕНИЯ

1. Для бульона и супов нужно брать ссек[3], огузок, кострец, бедра, грудину (особенно пригодно для щей) и ребра от тонкого края. В небольшом хозяйстве, где берется немного провизии, при выборе из этих сортов мяса для супа нужно соображаться с остальными кушаньями, назначенными для обеда. Так, если хотят подать хороший кусок разварной говядины, то нужно взять кострец, бедро или огузок, если битки, рубленые котлеты, жареную или тушеную говядину, то мякотный кусок ссека или огузка и т. д.

Для телячьих и бараньих супов надо брать мясо от передней части, а именно: грудину, лопатку, шейную часть.

[3] Значение терминов, которые подчеркнуты, можно найти в словаре в конце книги. — Прим. ред.

2. Вымыть говядину, как сказано в Общих наставлениях, положить ее в кастрюлю, если кушанье готовится на плите, или в горшок или чугун, если оно приготовляется в русской печи, залить холодной водой (по четыре стакана[4] на каждого человека), положить одну луковицу средней величины с перьями (она осветляет бульон, придает ему хороший цвет и приятный вкус), полкорня петрушки, полкорня сельдерея, полпорея и полморкови (все коренья должны быть средней величины), очищенные, как сказано в «Общих наставлениях», всыпать соль (по чайной ложке вровень на каждые восемь стаканов) и поставить на сильно раскаленную

[4] Здесь и далее имеется в виду граненый стакан емкостью 250 мл. — Прим. ред.

плиту, на открытую конфорку или в русскую печь, когда уже первый дым прошел и дрова начинают гореть ровным пламенем, без большого дыма.

3. Когда бульон закипит и на поверхность его начнет всплывать пена (свернувшаяся кровь), то ее нужно снимать шумовкой (плоской ложкой в виде небольшого сита), или большой круглой плоской ложкой. При этом нужно наблюдать, чтобы бульон не кипел ключом, а только перебирался, то есть тихо кипел с одного края.

4. Кастрюлю не нужно наливать полною, потому что в таком случае бульон легче может сбежать, вследствие чего потеряются самые вкусные мясные соки, всплывающие наверх, и он сделается водянистым и невкусным. К сожалению, этого нельзя соблюдать при готовке в русской печке, так как неполный горшок или чугун может легко лопнуть, почему его надо ставить не слишком близко к огню и отставлять еще дальше или совсем выдвинуть, если бульон начинает слишком сильно кипеть или сплывать.

5. Говяжий бульон нужно варить на плите четыре часа, телячий, бараний и куриный — три часа. В русской печке нужно продержать суп по крайней мере два часа по закрытии ее, чтобы говядина и овощи хорошенько упрели. Во все время варки бульона нужно наблюдать, чтобы он кипел равномерно и тихо, не сбегал, не выкипал слишком (готовя в русской печке, нужно подливать по мере выкипания горячую воду), и снимать всякую накипь.

6. Готовя на плите, через три-четыре часа, смотря по тому, варится ли бульон из говядины, телятины или курицы, а при готовке в русской печи, когда на нем перестанет всплывать пена, снять кастрюлю или горшок с огня, вынуть варившуюся в бульоне говядину или курицу и бульон процедить сквозь частое волосяное сито или салфетку. Затем говядину сполоснуть теплой водой и сложить на блюдо, процеженный же бульон слить обратно в кастрюлю или горшок (которые нужно предварительно сполоснуть теплой водой), положить нашинкованные или

нарезанные кружочками, звездочками или иными фигурками картофель и коренья[5], поставить опять на плиту или в печь и варить до готовности последних (от 20 до 30 минут). Когда они уварятся, то снять суп, положить в миску нарезанную ломтиками (по числу человек) вареную говядину, залить бульоном, посыпать рубленой зеленой петрушкой (на 4 человека — 1 столовая ложка вровень) и подать на стол.

7. Если бульон нечист, то, процедив, можно осветлить его яичным белком или льдом. Для этого ставят бульон опять на огонь, не давая ему кипеть, и в первом случае вливают белок от одного яйца, размешанный с тремя-четырьмя столовыми ложками холодной воды; когда белок, свернувшись, всплывет наверх, бульон процеживается. Если же он осветляется льдом, то надо дать бульону закипеть ключом, опустить в него кусок льда, дать еще раз вскипеть и снять собравшуюся наверху накипь.

8. Бульон можно подкрашивать. Для этого или подрумяниваются коренья, капустные листья (которые потом выкидываются), мелкий сахар (чайная ложка вровень), или кладется бульон куском (50 граммов на 4 человека).

9. Если для другого блюда готовится домашняя птица, то в бульоне можно отварить голову, лапки, желудок или пупок (с которого надо предварительно стянуть внутреннюю перепонку), сердце и печень.

№ 1. Бульон чистый белый

1,2–1,6 кг говядины (огузка, ссека или костреца) • 2 ч. л. (вровень) соли • 1 луковица средней величины • 1/2 корня петрушки • 1/2 корня сельдерея • 1/2 лука-порея • 1/2 моркови • 1/4 репы • 10 штук картофеля • 1 ст. л. рубленой зелени петрушки

Обмыв говядину в холодной воде, положить в кастрюлю с луковицей в перьях и прочими кореньями, налить шестнадцать стаканов средней величины (250 мл)

[5] Они кладутся, разумеется, не во все супы, а только в чистые; см. ниже.

холодной воды, положить соль, поставить на легкий огонь и дать тихо кипеть, тщательно снимая пену шумовкою и наблюдая, чтобы бульон не сбежал.

За полчаса до обеда процедить бульон через волосяное сито или салфетку, слить опять в кастрюлю, ополоснутую теплой водой, положить нашинкованные или точеные (звездочкой или иными фигурами) коренья и дать тихо кипеть на краю плиты с полчаса, до готовности кореньев.

Затем снять, слить в миску, положить нарезанную ломтями вареную говядину, посыпать рубленой зеленью петрушки и подавать.

Этот бульон можно подавать и в чашках. В таком случае, процедив его, прямо налить в чашки, посыпать рубленой зеленью петрушки и подавать.

Этот бульон подается:

1) с пирожками;

2) с гренками;

3) с разварным рисом.

▸ Примечание. Кто желает, может влить в этот бульон за 10 минут до подачи на стол от половины до целой рюмки хереса или мадеры.

№ 2. Бульон чистый красный

1,6 кг говядины • 1/2 луковицы средней величины • 1 маленькая луковица • 2 ч. л. (вровень) соли • 1 ст. л. русского или чухонского масла • 1/2 моркови • 1/4 репы • 1/2 корня петрушки • 1/2 корня сельдерея • 10 штук картофеля • 4 зерна английского перца (кто желает) • 2 лавровых листа (кто желает)

Обмыв довольно жирный мякотный кусок говядины, без костей и пленок, в холодной воде, слегка отжать, обтереть полотенцем, распустить в кастрюле ложку чухонского или русского (то есть топленого) масла, положить туда говядину, половину очищенной луковицы, морковь, коренья и все это хорошо зарумянить со всех сторон на легком огне.

Когда говядина обжарится, налить в кастрюлю шестнадцать стаканов теплой воды, положить маленькую луковицу в перьях, соль и дать медленно кипеть три часа, тщательно снимая лишний жир и накипь. Кто любит, может положить лавровый лист и английский перец.

Через три часа процедить через сито или салфетку, слить опять

в кастрюлю, хорошо ополоснутую горячей водой, положить нашинкованные или точеные коренья, поставить опять в легкий жар на плиту или в печь и дать кипеть до готовности овощей.

Затем слить в миску и посыпать рубленой зеленью петрушки. Если же желают подать бульон в чашках, то, процедив, прямо наливают в последние и посыпают рубленой зеленью петрушки.

Подается с тем же, что предыдущий.

▶ Примечание. Кто желает, может влить за 10 минут до подачи на стол от половины до целой рюмки хереса или мадеры. Можно также подкрасить суп жженым сахаром или бульоном в куске.

№ 3. Бульон с кореньями

1,6 кг говядины • 1 луковица • 1 корень петрушки • 1 корень сельдерея • 1 морковь • 1/2 корня пастернака • 1/2 репы • 1 лук-порей • 10 штук картофеля • 1/2 горсти спаржи • 6 кочанчиков брюссельской капусты • 2 ч. л. соли

Говядину вымыть, положить в кастрюлю, положить соль, луковицу в перьях, порей, морковь, корень петрушки, сельдерея, налить шестнадцать стаканов холодной воды и поставить вариться на легком огне, тщательно снимая накипь.

Когда говядина поспеет вполовину, обмыть ее в теплой воде, а бульон процедить через волосяное сито или салфетку. Потом положить говядину опять в кастрюлю, влить процеженный бульон и положить очищенные и нарезанные коренья.

Затем поставить на огонь, и когда поспеют коренья (через 20–30 минут), вылить суп в миску, положить нарезанную ломтиками говядину и посыпать рубленой зеленью петрушки.

Брюссельскую капусту нужно положить после всех кореньев, за 15 минут до обеда.

Подается с пирожками и гренками.

№ 4. Весенний суп

1,2–1,6 кг говядины • По 5 листков щавеля, шпината и салата латука • 1 луковица • 1/2 корня сельдерея • 1/2 корня петрушки • 1/2 лука-порея

• 2 ч. л. соли • 1 ст. л. чухонского масла • Горсть горошка • 4 побега спаржи • 10 штук каротели • 15 штук молодого картофеля • 3 молодые репы • 5–8 кочанчиков брюссельской капусты • 1 ст. л. рубленой зелени петрушки

Сварив бульон и процедив его, как сказано в рецепте № 1, взять по равному количеству разных молодых кореньев, а именно: каротели, петрушки, молодой репы, спаржи, молодого картофеля, изрезать все тоненькими, узенькими полосками, также верхушки спаржи, обдать их кипятком, налить бульона и кипятить на малом огне почти до готовности (минут 15).

Потом положить зеленый сахарный горошек и брюссельскую капусту, дать раза три вскипеть, опустить нарезанные полосками листики шпината, щавеля и латука, дать еще раз вскипеть, положить ложку чухонского масла, слить суп в миску и посыпать рубленой зеленью петрушки.

Подавать с гренками или пирожками.

№ 5. Суп-жюльен

1,2–1,6 кг говядины • 1 морковь • 1/2 репы • 1 корень сельдерея • 1 луковица • 5 побегов спаржи • 1 горсть шпината • 200 г ржаного хлеба • 2 ч. л. соли • 1 ст. л. чухонского или сливочного масла • 1 ст. л. рубленой зелени петрушки

Высушить кусок ржаного хлеба без корки, залить бульоном, приготовленным как сказано в рецепте № 1, закрыть крышкой и дать постоять полчаса.

Нашинковать морковь, репу, сельдерей, спаржу; положить все это, перемывши, в приготовленный бульон, куда слить также процеженный хлебный настой, уварить до готовности коренья, положить пополам разрезанные листья шпината, дать раза два вскипеть, слить в миску, посыпать рубленой зеленью петрушки и подавать.

К этому супу подаются пирожки.

№ 6. Красный суп из курицы и телятины

1 морковь • 1/2 репы • 1 корень сельдерея • 1 корень петрушки

• 1 луковица • 2 ч. л. соли • 1 ст. л. чухонского масла • 1/2 курицы • 800 г телятины • 25 г белого сухого бульона • 25 г красного сухого бульона • 1 ст. л. рубленой зелени петрушки • 1 ст. л. сливочного масла • 1/8 ч. л. мускатного ореха (кто любит)

Обжарить разные очищенные коренья (морковь, репу, сельдерей и т. п.) в кастрюле в ложке чухонского масла.

Очистить, опалить и разнять на части курицу и телятину, залить все это шестнадцатью стаканами холодной воды, положить луковицу в перьях, соль, красный и белый бульон, поставить на легкий огонь и варить три часа, тщательно снимая накипь шумовкой.

Затем бульон процедить через сито или салфетку, слить обратно в кастрюлю, положить нашинкованные картофель и коренья и уварить их до готовности (20 минут).

Когда будут готовы, слить суп в миску, положить курицу и телятину и посыпать рубленой зеленью петрушки.

Подавая суп на стол, положить ложку сливочного масла и, кто любит, натертый мускатный орех.

№ 7. Бульон с яйцами «в мешочек» и гренками

400 г телятины • 1/2 тетерева • 1/2 корня петрушки • 1/2 корня сельдерея • 1 луковица • 1/2 моркови • 600–800 г говядины • 1/2 курицы • 4 яйца • 1 белая булка (200 г) • 1/2 ст. л. чухонского масла • 1 ст. л. рубленой зелени петрушки • 2 ч. л. соли

Вымыв в холодной воде, положить в кастрюлю телятину, говядину (от костреца, от огузка), полкурицы и полтетерева, налить шестнадцать стаканов холодной воды, положить луковицу в перьях, очищенные коренья и соль, варить на легком огне три часа, снимая пену шумовкою.

Затем процедить через сито, слить в миску, опустить в бульон столько сваренных «в мешочек» яиц, сколько лиц обедает.

Гренки подают отдельно, их приготовляют так: нарезать маленькими кусочками белый хлеб и поджарить в масле.

Подавая, посыпать суп рубленой зеленью петрушки.

№ 8. Суп на скорую руку

2,4 кг говядины (ссека или огузка) • 1/2 корня петрушки • 1/2 корня сельдерея • 1/2 моркови • 1/2 лука-порея • 1 луковица • 2 ч. л. соли • 1 ст. л. рубленой зелени петрушки

Изрубить говядину вместе с кореньями, положить в кастрюлю, налить четырнадцать стаканов холодной воды и посолить, положить цельную луковицу в перьях, поставить на легкий огонь и дать слегка кипеть, снимая пену.

Когда она перестанет накипать, бульон процедить через сито, слить в миску или в чашку, посыпать рубленой зеленью петрушки и подавать.

К этому бульону подаются пирожки.

№ 9. Суп из курицы

1 жирная молодая курица • 1 луковица • 1 морковь • 1 корень петрушки • 1 корень сельдерея • 2 ч. л. соли • 10–12 штук картофеля • 1 ст. л. рубленой зелени петрушки • 1 ст. л. сливочного масла (кто желает)

Вычищенную, опаленную и вымытую курицу положить в кастрюлю, налить шестнадцать стаканов холодной воды, посолить, поставить на легкий огонь и дать тихо кипеть, снимая пену.

Через три часа, когда курица совершенно сварится, вынуть, вымыть в теплой воде, разбить на куски, а бульон процедить, вылить опять в кастрюлю, положить нарезанные или нашинкованные коренья, уварить последние до готовности.

Разбитую на части курицу уложить в миску и, налив готовый бульон, посыпать рубленой зеленью петрушки и подавать на стол.

Можно положить в суп столовую ложку сливочного масла.

№ 10. Суп из курицы с цветной капустой

1 курица • 1/2 корня петрушки • 1/2 корня сельдерея • 2 ч. л. соли • 1/2 моркови • 1 луковица • 1 ст. л. сливочного масла

• 2–3 штуки цветной капусты или 200 г зеленого гороха

Очистив и обмыв хорошенько курицу, разбить ее на куски, сложить в кастрюлю, налить шестнадцать стаканов холодной воды, положить луковицу в перьях, очищенные коренья, соль и дать кипеть, снимая пену; варить три часа — до тех пор, пока курица не сварится до готовности.

Тогда бульон процедить, слить опять в кастрюлю, положить мелко нашинкованные коренья и разнятую на головки цветную капусту, прибавить столовую ложку сливочного масла и варить 10–15 минут, наблюдая при этом, чтобы цветная капуста не переварилась.

Затем вылить в миску, посыпать рубленой зеленью петрушки и подавать.

Вместо цветной капусты можно прибавлять в суп 200 граммов молодых, хорошо очищенных стручков зеленого гороха.

№ 11. Суп с рисом

1,2–1,6 кг говядины (костреца) • 1 луковица • 1 морковь • 1/2 репы • 1 корень сельдерея • 2 ч. л. соли • 1 корень петрушки • 100 г рисовой крупы • 10 штук картофеля • 1 ст. л. рубленой зелени петрушки

Говядину хорошенько вымыть, положить в кастрюлю или горшок с луковицей в перьях, очищенными кореньями и солью, налить шестнадцать стаканов холодной воды, поставить на легкий огонь на плиту и варить три часа, снимая пену.

Затем процедить бульон, вымыть говядину, чтобы не было накипи, слить опять в кастрюлю или горшок, всыпать рисовую крупу, положить нарезанные картофель и коренья и варить до готовности крупы и кореньев.

Подавая, посыпать рубленой зеленью петрушки.

№ 12. Суп с перловой крупой

1,2–1,6 кг говядины (огузка) • 1 морковь • 1 корень петрушки • 1/2 репы • 1 луковица • 10 штук картофеля • 1 корень сельдерея • 2 ч. л. соли • 100 г перловой крупы • 1 ст. л. сливочного или чухонского масла • 1 ст. л. рубленой зелени петрушки

Взять хорошей говядины, вымыть в холодной воде, положить

вместе с неочищенною луковицею, кореньями и солью в горшок или кастрюлю, налить шестнадцать стаканов холодной воды, поставить на плиту или в печь и варить, снимая накипь, два с половиной часа.

Когда говядина вполовину сварится, вынуть ее и ополоснуть теплой водой, чтобы смыть приставшую к ней накипь. Бульон процедить сквозь сито, а горшок или кастрюлю также ополоснуть внутри.

Затем положить говядину опять в горшок или кастрюлю, налить процеженный бульон, положить перловую крупу, очищенные и нарезанные кружочками картофель и коренья (петрушку, сельдерей и лук) и варить еще полчаса, снимая накипь, если таковая будет.

Перловую крупу нужно промыть раза два в холодной воде.

Подавая, положить в миску ломтиками нарезанную говядину и посыпать рубленой зеленью петрушки.

Можно положить столовую ложку сливочного или чухонского масла.

№ 13. Суп с манной крупой

1,2–1,6 кг говядины • 1 луковица • 1 морковь • 1/2 стебля порея • 1/2 репы • 1/2 сельдерея • 10 штук картофеля • 1 корень петрушки • 1/2 стакана манной крупы • 2 ч. л. соли • 1 ст. л. сливочного или чухонского масла • 1 ст. л. рубленой зелени петрушки

Сварить бульон, как сказано рецепте № 1, и за четверть часа до обеда засыпать манную крупу. Подавая, посыпать рубленой зеленью петрушки.

Можно положить столовую ложку сливочного или чухонского масла.

№ 14. Суп с макаронами

1,2–1,6 кг говядины • 1 луковица • 1/2 моркови • 1/2 сельдерея • 1/2 стебля порея • 1/2 петрушки • 2 ч. л. соли • 100 г макарон • 1 ст. л. сливочного или чухонского масла • 1 ст. л. рубленой зелени петрушки

Приготовив и процедив бульон, как сказано в рецепте № 1, поставить его опять на плиту, дать закипеть и всыпать изломанные на кусочки (2,5 см) макароны.

Дать несколько раз вскипеть (варить от 10 до 15 минут).

Затем положить столовую ложку сливочного или чухонского масла, слить в миску, посыпать рубленой зеленой петрушкой и подавать.

№ 15. Суп с вермишелью

1,2–1,6 кг говядины • 1 луковица • По $^1/_2$ или 1 штуке кореньев (моркови, петрушки, сельдерея) • $^1/_2$ стебля порея • 2 ч. л. соли • 100 г вермишели • 10 штук картофеля (кто желает) • 1 ст. л. сливочного или чухонского масла • 1 ст. л. рубленой зелени петрушки

В приготовленный и процеженный бульон, как сказано в рецепте № 1, за 10 минут до обеда всыпать изломанную вермишель.

Когда будет готова (что узнается по тому, что она всплывает наверх, а также на вкус), положить столовую ложку сливочного или чухонского масла, дать раз вскипеть, перелить в миску, посыпать рубленой зеленью петрушки и подавать.

В этот суп можно положить также картофель и коренья. Коренья нужно опустить за полчаса до обеда.

№ 16. Суп с клецками

1,6 кг говядины • 1 луковица • 1 корень петрушки • $^1/_2$ корня сельдерея • 1 морковь • $^1/_4$ репы • 2 $^1/_2$ ч. л. соли • 2 ст. л. коровьего масла • 2 яйца • 2 $^1/_2$ стакана муки • 1 ст. л. рубленой зелени петрушки

Говядину вымыть, положить в кастрюлю, посолить (2 чайные ложки соли), прибавить неочищенную луковицу и очищенные коренья и варить на легком огне, снимая пену, три часа.

Когда говядина поспеет, вынуть ее, бульон процедить. Потом, перемыв говядину, чтобы не было на ней накипи, положить опять в кастрюлю, влить процеженный бульон, прибавить очищенные и нарезанные кружочками коренья и поставить на легкий огонь.

Между тем приготовить клецки следующим образом: взять коровье растопленное масло, тереть в чашке ложкой до тех пор, пока не побелеет. Положить два яичных желтка, растереть, налить

стакан холодной воды, посолить (половина чайной ложки соли), подсыпать, помешивая, муку и взбить хорошенько в не слишком густое тесто. Затем взбить пену из двух белков, положить в тесто и бить еще минуты три.

Перед обедом брать понемногу серебряной ложкой, обмакивая ее каждый раз в холодную воду, из приготовленного теста кусочки, опускать в кипящий бульон и дать прокипеть, чтобы клецки уварились. Готовность их узнается по тому, что они всплывают наверх.

Потом налить суп в миску, положить туда же ломтиками нарезанную говядину и посыпать зеленой петрушкой.

№ 17. Лапша

2 стакана муки • 1 яйцо • 2 ½ ч. л. соли • 1,2–1,6 кг говядины • 1 луковица • ½ корня петрушки • ½ моркови • ½ корня сельдерея • 1 ст. л. рубленой зелени петрушки • 1 ст. л. сливочного или чухонского масла • Картофель (по желанию)

Замесить из четверти стакана холодной воды, муки, половины чайной ложки соли и яйца крутое тесто, раскатать в тонкие листы, свернуть в трубочки и искрошить в виде тонких нитей. За 15 минут до обеда засыпать лапшу в кипящий бульон и, дав раза два прокипеть, подать на стол.

Бульон приготовляется следующим образом: говядину вымыть и положить в кастрюлю или горшок с очищенными кореньями и луковицей в перьях, посолить, налить шестнадцать стаканов холодной воды и варить до тех пор, пока говядина не сделается мягкой (4 часа). Потом, вынув говядину, смыть накипь, процедить бульон, слить опять в кастрюлю или горшок.

За 15 минут до обеда вскипятить его и засыпать лапшу, которая, когда уварится, всплывает наверх. Подавая, посыпать зеленью петрушки.

В этот суп можно также класть нарезанные кружочками картофель и коренья. Их нужно опускать за полчаса до обеда.

Перед подачей на стол можно положить столовую ложку сливочного или чухонского масла.

№ 18. Суп «ушки»

1,4–1,8 кг говядины на бульон • 2 стакана муки • 1 яйцо • 1 1/2 луковицы • От 1/2 до 1 штуки кореньев (моркови, сельдерея, петрушки) • 3 ч. л. соли • 1/4 ч. л. мелкого перца • 1 ст. л. рубленой зелени петрушки • По желанию: 10 штук картофеля, 1/8 ч. л. тертого мускатного ореха

Замесив не очень крутое тесто из яйца, воды (четверть стакана), муки, соли (половина чайной ложки), раскатать его потоньше, нарезать косыми четырехугольниками, положить на середину каждого из них немного фарша и защипать так, чтобы вышли треугольники.

Эти треугольники согнуть осторожно и, соединив два угла, слепить. За 10 минут до обеда опустить в бульон, приготовленный, как сказано в рецепте № 1, в который можно положить коренья и картофель.

Фарш для ушек приготовляется следующим образом: взять 200 г сырой мякотной жирной говядины, мелко изрубить ее ножом на столе или сечкой в деревянной чашке, выбрать жилки, положить четверть чайной ложки соли, столько же мелкого перца и, кто любит, половину мелко изрубленной луковицы и натертый мускатный орех.

Подавая, вылить в миску и посыпать рубленой зеленью петрушки.

№ 19. Суп из телятины с картофелем

1,6–2 кг телятины • 1/2 чайной чашки риса • 1 ст. л. коровьего масла • По 1 корню петрушки, сельдерея моркови, репы • 10 штук картофеля • 1 луковица • 10 листьев шпината • 2 ч. л. соли • 1 ст. л. рубленой зелени петрушки

Очистив и обмыв хорошенько кусок телятины, разрезать ее на небольшие куски, положить в кастрюлю или горшок, налить шестнадцать стаканов холодной воды, положить туда же соль, луковицу в перьях, очищенные коренья (по половине каждого), варить на легком огне, снимая пену.

Затем бульон процедить через сито, телятину ополоснуть

теплой водой, сложить опять в кастрюлю, также ополоснутую водой, положить рис, коровье масло, оставшиеся коренья, сырой очищенный картофель.

Варить с полчаса, потом прибавить шпинат, дать вскипеть и подавать, посыпав рубленой зеленью петрушки и положив в суп разрезанную телятину.

№ 20. Суп из телятины

1,6–2 кг мякотной телятины • 1 луковица • По 1 корню петрушки, сельдерея, репы и моркови • 8–10 штук картофеля • 1 ст. л. чухонского или сливочного масла • 1/2 стакана сметаны • 15 листьев шпината • 3 зерна английского перца • 1/2 ч. л. тертого мускатного ореха • 1 белая булка (200 г) • 1 ст. л. рубленой зелени петрушки

Сняв с ребер молодого теленка переднюю часть и обмыв хорошенько, разрезать ее на небольшие куски, залить шестнадцатью стаканами холодной воды и посолить.

Когда суп будет кипеть, то, сняв пену, положить в него две горсти тертого белого хлеба и столовую ложку коровьего масла.

Затем процедить, слить опять в кастрюлю, ополоснутую теплой водой, положить нашинкованный картофель, накрошенную петрушку, репу и морковь, добавить зерна перца, мускатный орех, несколько штук спаржи и ложку чухонского или сливочного масла и варить полчаса.

Затем положить сметану и перебранный шпинат, дать вскипеть, слить в миску, положить телятину, посыпать рубленой зеленой петрушкой и подать.

№ 21. Суп из баранины

1,2–1,6 кг баранины • 1 корень петрушки • 1 корень сельдерея • 1 морковь • 1/2 репы • 10 штук картофеля • 2 ч. л. соли • 1 луковица • 1 ч. л. перловой крупы или риса • 1 ст. л. рубленой зелени петрушки • По желанию: 1 лавровый лист, 1 ст. л. чухонского масла

Разрубить баранину на куски, вымыть, посолить, сложить в кастрюлю или горшок, положить луковицу в перьях и очищенные коренья (по половине

каждого), налить шестнадцать стаканов холодной воды (так, чтобы она покрыла всю баранину) и дать кипеть, снимая пену, три часа.

Когда баранина уварится, процедить бульон, сполоснуть кастрюлю, слить опять туда бульон, подсыпать перловой крупы или риса, прибавить картофель и остальную часть кореньев, очищенных и нарезанных, и варить полчаса.

Затем слить суп в миску, сложить туда разрезанную на куски баранину, посыпать рубленой зеленью петрушки и подать.

Кто желает, может положить в этот суп лавровый лист и столовую ложку чухонского масла.

№ 22. Суп из поросенка

1,6 кг поросенка • 1 морковь • 1 корень петрушки • 1 корень сельдерея • 1/2 стебля порея • 1 луковица • 4 зерна перца • 2 лавровых листа • 1/2 стакана перловой крупы • 1 стакан сметаны • 1 ст. л. рубленой петрушки

Сварить обыкновенный бульон из поросенка, как сказано в рецепте № 1, положив коренья и пряности; процедить.

Разварить отдельно перловую крупу, смешать с ложкой чухонского масла и бить, пока не побелеет; прибавить сметану, развести сваренным бульоном, вскипятить и подавать, посыпав рубленой петрушкой и укропом.

№ 23. Ленивые щи

1,2–1,6 кг говядины • 1 луковица • 1 кочан капусты, средней величины • 1 корень петрушки • 1 небольшой корень сельдерея • 2 ч. л. соли • 1 морковь • 1 небольшая репа • 2 ст. л. крупитчатой муки • 1 ст. л. коровьего масла • 1 стакан сметаны • 1 ст. л. рубленой зелени петрушки

Говядину хорошенько вымыть, положить в кастрюлю или горшок с луковицей в перьях и кореньями (по половине каждого), посолить, налить шестнадцать стаканов холодной воды и варить на легком огне три часа, снимая пену.

Взять кочан капусты, очистить, нарезать длинными полосками или разрезать на восемь частей.

Нарезать оставшиеся коренья: петрушку, сельдерей, морковь, репу, все это хорошенько вымыть.

Когда говядина уварится, процедить бульон, слить опять в кастрюлю или горшок и, положив туда капусту и коренья, поставить на плиту или в печку и варить полчаса.

Между тем сделать приправку: взять ложку коровьего масла, вскипятить в отдельной кастрюле, всыпать крупитчатую муку, размешать, дать несколько раз вскипеть, развести бульоном из щей и влить в суп, поставить на плиту или в печь и прокипятить.

К ленивым щам подают хорошую сметану и, подавая, посыпают их рубленой зеленью петрушки.

№ 24. Суп из молодого свекольника

1,2–1,6 кг говядины • 1/2 корня петрушки • 1/2 корня сельдерея • 1/2 стебля лука-порея • 2 ч. л. соли • 1 стакан сметаны • 1 ст. л. коровьего масла • 2 ст. л. муки • 1 стакан свекольного рассола или кваса • 400 г свекольника

По желанию: 400 г свиной грудинки, 50 г сушеных грибов, 4 зерна английского перца, 2 лавровых листа

Сварить обыкновенный бульон из говядины, кореньев, луковицы в перьях, соли и шестнадцати стаканов холодной воды (можно положить сушеные грибы и свиную грудинку), как объяснено в рецепте № 1; процедить.

Очистить, вымыть и нарезать мелко или изрубить молодой свекольник и несколько самых мелких корешков свеклы, положить в бульон и сварить. Прибавить по вкусу свекольного рассола или кваса.

Перед подачей положить сметану и масло, вскипяченное с мукой и разведенное затем бульоном (см. ленивые щи, рецепт № 23), вскипятить, посыпать рубленой зеленью петрушки и укропа и подавать со сметаной и яйцами (крутыми или «в мешочек»).

Кто желает, может варить в бульоне английский перец и лавровый лист.

№ 25. Щи зеленые из крапивы

1,2 кг говядины • 200–400 г ветчины • 1/2 моркови • 1/2 корня сельдерея • 1/2 стебля порея • 1/2 корня петрушки • 1 луковица • 2 ч. л. соли • 400–600 г молодой крапивы • 2 ст. л. коровьего масла • 2 ст. л. крупитчатой муки • От 1/2 до 1 стакана сметаны • 2–3 крутых яйца • 1 ст. л. рубленой зелени петрушки

Сварить бульон из говядины и ветчины с кореньями, луковицей в перьях, солью и шестнадцатью стаканами холодной воды, как сказано в рецепте № 1; процедить.

Между тем молодую крапиву перебрать, вымыть и опустить в кипяток; варить, пока не сделается мягкой, но не закрывая ее крышкой; откинуть на решето, потом мелко изрубить или протереть сквозь сито.

Положить в кастрюлю коровье масло, сложить туда крапиву, пересыпать крупитчатой мукой, поджарить, мешая, развести процеженным бульоном, вскипятить, вылить в миску, положить туда же нарезанную кусочками ветчину и вареную говядину, посыпать рубленой петрушкой и забелить сметаной.

Подавать к ним крутые, пополам разрезанные яйца.

№ 26. Зеленые щи из шпината

400 г шпината • 1 луковица • 1/2 моркови • 1/2 корня сельдерея • 1/2 стебля порея • 1/2 корня петрушки • 2–3 яйца • 1 ст. л. чухонского или русского масла • От 1/2 до 1 стакана сметаны • 2 ч. л. соли • 2 ст. л. муки

Перебранный шпинат обдать кипятком и мелко изрубить.

Уварить говядину с луковицей в перьях, очищенными кореньями, солью и шестнадцатью стаканами холодной воды, как сказано в рецепте № 1.

Потом процедить бульон, говядину вымыть в теплой воде, положить опять в кастрюлю или горшок, залить бульоном, положить рубленый шпинат и поставить вариться на полчаса.

За 10 минут до обеда приправить мукой, вскипяченной в столовой ложке коровьего масла, дать вскипеть и подавать.

К этим щам подают свежую сметану и сваренные круто или «в мешочек» яйца.

№ 27. Зеленые щи из щавеля

1,2–1,6 кг говядины • 1 луковица • 1/2 моркови • 1/2 корня сельдерея • 1/2 корня петрушки • 600 г молодого щавеля • 2 ст. л. крупитчатой муки • От 1/2 до 1 стакана сметаны • 1 ст. л. чухонского или русского масла • 2 ч. л. соли

Очистив и обобрав щавель, вымыть его, сварить, откинуть на решето, чтобы вода стекла, а потом изрубить помельче.

Между тем сварить, как сказано в рецепте № 1, бульон, положить щавель, подправку из крупитчатой муки, вскипяченной в столовой ложке чухонского или русского масла (см. ленивые щи, рецепт № 23), и варить полчаса.

Подавать со сметаной и крутыми яйцами.

Эти щи можно также приготовлять из щавеля пополам со шпинатом. Если же они готовятся из одного щавеля и притом не самого молодого, то лучше, перебрав, отварив и изрубив щавель, слегка поджарить его в столовой ложке русского или чухонского масла (см. щи из крапивы, рецепт № 25), тогда щи будут не так кислы.

№ 28. Кислые щи, к ним кружки из каши

1,2–1,6 кг говядины (грудины) • 600 г квашеной капусты • 4 луковицы • 2 лавровых листа • 3–5 зерен английского перца • 1/2 моркови • 1/2 корня сельдерея • 1/2 корня петрушки • 1 ст. л. коровьего масла • От 1/2 до 1 стакана сметаны • 2 ст. л. крупитчатой муки • 1 ч. л. соли Для кружков: 10 ст. л. (с верхом) крутой гречневой каши • 1 яйцо • 3 ст. л. чухонского или русского масла • Мука

Взять жирной говядины (лучше всего от грудины), положить в горшок или кастрюлю, налить шестнадцать стаканов холодной воды, положить две луковицы, по половинке разных кореньев, лавровый лист, английский перец (можно и не класть их) и чайную ложку соли, поставить на плиту или в печь и варить четыре часа, снимая пену и наблюдая, чтобы бульон не сплыл.

Затем процедить, обмыть говядину в теплой воде, слить бульон в кастрюлю, ополоснутую теплой водой, положить отжатую кислую капусту, две нарезанные луковицы и поставить опять на плиту или в печь, не давая сплывать, на полчаса.

Между тем растопить в особой кастрюле ложку коровьего масла, всыпать, мешая, две ложки муки, прокипятить, размешать, вылить эту подправку в щи, прокипятить и подать со сметаной.

Кружки из гречневой каши делаются так: размявши хорошенько гречневую кашу, положить в нее две столовые ложки масла и сырое яйцо, размешать, сделать круглые лепешки, обвалять их в муке и поджарить в столовой ложке чухонского или русского масла.

№ 29. Скоромная солянка

400 г говядины • 400 г ветчины • 200 г сосисок • 1 селедка • 2 луковицы • 5 соленых огурцов • 1/2 корня петрушки • 1 морковь • 1 лавровый лист • 3 зерна английского перца • 1 ст. л. оливок • 1 ст. л. каперсов • 1 ст. л. муки • 2–3 ст. л. чухонского масла • 1 стакан кваса • 1–2 ст. л. уксуса • 1 ст. л. рубленой зелени укропа • Сметана

Для бульона отдельно: 600–800 г говядины • 1/2 корня петрушки • 1/2 моркови • 1 луковица • 1 ч. л. соли

Нарезанную ломтями говядину (огузок), ветчину, разрезанные на ломтики две луковицы, лавровый лист и зерна перца обжарить в масле вместе с кислой капустой, налить шесть стаканов крепкого бульона, приготовленного так, как сказано в рецепте № 1, и варить на легком огне.

Между тем вскипятить в особой кастрюле муку в одной столовой ложке чухонского масла, прокипятить несколько раз, развести стаканом бульона, влить в солянку, положить туда же точеные или нарезанные полморкови и полкорня петрушки и варить на легком огне.

Когда капуста и коренья будут почти готовы, положить в солянку изжаренные и разрезанные на кусочки сосиски, каперсы, оливки и нарезанные ломтиками соленые огурцы.

Выбрать из селедки кости, искрошить ее, положить в солянку,

подлить квас и уксус, посыпать укропом, дать прокипеть и, подавая на стол, заправить сметаной.

В скоромную солянку можно, кроме того, класть ломтиками нарезанную телятину, домашнюю птицу или дичь.

№ 30. Борщ

1 кг говядины (огузка, ссека или грудины) • 400 г ветчины • 3 луковицы • По $^1/_2$ штуки стебля порея, корня петрушки, корня сельдерея и моркови • 2 ч. л. соли • 5 штук свеклы средней величины • 5 зерен английского перца • 2 лавровых листа • 1 ст. л. муки • 2 ст. л. чухонского или русского масла • 1–2 ст. л. уксуса • От $^1/_2$ до 1 стакана сметаны • 1 ст. л. рубленой зелени петрушки или укропа

Нарезать говядину и ветчину небольшими кусками, все это, перемыв, залить шестнадцатью стаканами холодной воды, положить луковицу в перьях, очищенные коренья, зерна перца, лавровые листья, соль, поставить на легкий огонь и, снимая пену, варить три часа.

Затем процедить, а говядину и ветчину обмыть в теплой воде.

Между тем взять свеклу, искрошить тоненькими полосками, обжарить в коровьем масле, залить процеженным мясным отваром, положив туда упомянутую мясную провизию, подлить уксус, положить приправку из муки, вскипяченной в одной столовой ложке масла, две нашинкованные луковицы и все уварить хорошенько.

К борщу подают хорошую сметану и посыпают его рубленой зеленью петрушки или укропа.

Если желают, чтобы борщ был красного цвета, то натереть на терке одну красную свеклу и выжать из нее в тряпочке сок в борщ за 5 минут до обеда.

№ 31. Бураки

5 штук свеклы • 2 луковицы • 3–4 ст. л. чухонского масла • 2 ст. л. муки • По $^1/_2$ стебля порея, корня сельдерея, корня петрушки и моркови • От $^1/_2$ до 1 стакана сметаны • 400 г сосисок • Огуречный рассол или квас • 1 ст. л. рубленой зелени петрушки • 1–2 ст. л. уксуса

Для бульона: 600 г говядины (огузка, ссека или грудины) • 200 г солонины или ветчины • 400 г баранины • 2 ч. л. соли
По желанию: 2 лавровых листа и 4–5 зерна английского перца

Искрошить мелко всю свеклу (бураки) и одну луковицу, обжарить их в столовой ложке чухонского масла, обсыпать мукой, залить процеженным бульоном, приготовленным, как сказано в рецепте № 1, из говядины, баранины, ветчины или солонины.

Разрезав вареное мясо и ветчину на небольшие куски, положить в суп, развести огуречным рассолом или квасом и дать кипеть. Когда все вполовину поспеет, подложить поджаренные сосиски.

Подавая на стол, забелить сметаной, посыпать рубленой зеленью петрушки и подлить уксуса.

Кто любит, может варить бульон с лавровым листом и английским перцем.

№ 32. Сборный борщ

800 г жирной говядины (ссека или огузка) • 200 г ветчины • 1/2 утки • 200 г баранины • 200 г солонины • 200 г сосисок • 1 луковица • Кореньев по 1/2 штуки (сельдерея, петрушки, моркови, лука-порея) • 2 лавровых листа • 5 зерен английского перца • 1 ст. л. муки • 1 ст. л. чухонского масла • 1/2 средней величины кочана белой капусты • 1/2 стакана сметаны • 1 ст. л. рубленой зелени петрушки • 1–2 ст. л. уксуса

Взять жирную говядину, ветчину, половину утки, баранину и солонину, вымыть, положить в горшок или кастрюлю, посолить, положить луковицу и коренья (по половинке каждого), зерна английского перца и лавровый лист, налить шестнадцать стаканов холодной воды и варить, снимая пену.

Когда мясо будет готово, вынуть его, бульон процедить, снять мясо с костей, разрезать на куски, положить в суп, опустить туда же шинкованную свеклу, крошенную белую капусту, кореньев и поджаренную луковицу.

За 10 минут до обеда заправить мукой, вскипяченной в ложке масла, и уксусом по вкусу (см. ленивые щи, рецепт № 23). Перед подачей опустить в борщ жареные сосиски.

К сборному борщу подается сметана. Можно посыпать рубленой зеленью петрушки.

№ 33. Потроха

Потроха 1 гуся • 400 г говядины • 2 луковицы • 4 огурца • 1 корень петрушки • 1 морковь • 10 штук картофеля • 1/2 репы • 1 большой корень сельдерея (или 2 маленьких) • 2 ст. л. муки • 1 ст. л. чухонского масла • 2 ч. л. соли • 3 соленых огурца • 1–2 ст. л. уксуса • 1 ст. л. рубленой зелени петрушки • 1/2 стакана сметаны

По желанию: 1 лавровый лист, 5 зерен английского перца

Вычистить, обобрать и обмыть хорошенько гусиные потроха, положить в горшок или в кастрюлю. Говядину хорошенько вымыть и положить туда же, посолить; очистить луковицы, нарезать коренья петрушки и сельдерея, положить это все в горшок, налить шестнадцать стаканов холодной воды, поставить на легкий огонь и варить три часа, снимая пену.

Когда довольно поварится, бульон процедить, сделать приправку: вскипятить муку в ложке масла, хорошенько растереть, прибавить немножко бульона, размешать, вылить в потроха, опустить мелко нарезанные картофель, морковь и репу и варить до готовности.

За 5 минут до обеда положить нарезанные ломтиками соленые огурцы и влить уксус, дать вскипеть и подавать, посыпав рубленой зеленью петрушки.

К этому супу можно подавать сметану. Кто любит, может варить в бульоне лавровый лист и зерна перца.

№ 34. Рассольник из почек

2 бычьи почки средней величины • 800 г жирной говядины, телятины или баранины • 400 г ветчины • 1/2 репы • 1/2 моркови • 1 корень петрушки • 1/2 корня сельдерея • 1/2 стебля порея • 1 луковица • 10 штук картофеля • 2 ч. л. соли • 3 зерна английского перца • 1 лавровый лист • 2–3 ст. л. муки • 1 ст. л. чухонского масла • 5 соленых огурцов • 1–2 ст. л. уксуса • 1 стакан сметаны

• 1 ст. л. рубленой зелени петрушки и укропа

Разрезанные вдоль бычьи почки и говядину (телятину или баранину) перемыть, залить водой (16 стаканов), положить луковицу в перьях, по половине корешка петрушки, сельдерея, половину моркови, соль, английский перец, лавровый лист и варить, снимая пену.

Затем процедить, обмыть мясо в теплой воде, слить бульон в кастрюлю, ополоснутую водой, положить туда картофель, коренья и варить до готовности последних.

Между тем распустить в отдельной кастрюле столовую ложку чухонского масла, всыпать муку, вскипятить несколько раз, развести бульоном, влить в суп.

Накрошив помельче соленые огурцы и нарезав кусочками ветчину, за 5 минут до обеда положить в рассольник, влить уксус, посыпать рубленой зеленью петрушки и укропа, забелить сметаной, положить нарезанные кусочками почки и подавать.

№ 35. Суп с фрикадельками или фаршем

1,2 кг говядины для бульона • 1 луковица • По 1/2 или 1 корню петрушки и сельдерея • 1 морковь • 1/2 репы • 2 ч. л. соли • 1 ст. л. рубленой зелени петрушки

Для фарша: 400 г говядины • 100 г мякиша белого хлеба • 2 яйца • Соль • По желанию: 1/2 ч. л. мелкого перца и 1/2 ч. л. натертого мускатного ореха

Говядину (1,2 кг) вымыть, положить в кастрюлю, посолить, прибавить луковицу в перьях и коренья, две чайные ложки соли и варить три часа, как сказано в рецепте № 1.

Как говядина поспеет, вынуть ее, бульон процедить, а говядину перемыть, чтобы не было на ней накипи; влить в кастрюлю процеженный бульон, прибавить коренья и поставить на легкий огонь.

Между тем приготовить следующий фарш: изрубить мягко 400 граммов говядины, размочить в воде мякиш белого хлеба, смешать с говядиной, вбить яйца, посолить (если угодно, положить тертый мускатный орех

и перец), порубить еще, сделать шарики, опустить перед обедом в горячий бульон, дать прокипеть (готовность их узнается по тому, что они всплывают наверх) и подавать, посыпав рубленой петрушкой.

№ 36. Консоме

400 г говядины • 400 г телятины • 1 курица или каплун • 1 морковь • 1 репа • 1 корень петрушки • 1 корень сельдерея • 1 луковица • 2–3 зерна английского перца • 2 ч. л. соли • 1 ст. л. рубленой зелени петрушки • 1/8 ч. л. тертого мускатного ореха • По желанию: 10 шампиньонов, 1 рюмка хереса или мадеры

Перемыть говядину, телятину и очищенную курицу, а еще лучше каплуна, все это положить в кастрюлю, прикрыть крышкой, поставить на плиту и держать на огне до тех пор, пока не зарумянится, то есть пока низ мяса не поджарится и не даст колер, или *дойдет до глазиру*, по выражению кухмистерскому.

После того, налив на мясо шестнадцать стаканов холодной воды, положить луковицу в перьях, кореньев по половине корешка, соль, английский перец и варить на легком огне три часа, снимая пену.

Когда бульон сделается желтоватым и достаточно уварится, процедить его через волосяное сито и положить в него (кто желает) разные очищенные коренья — морковь, репу, петрушку и прочие, дать всему хорошенько упреть (варить полчаса), всыпать мускатный орех, зелень петрушки и подавать.

▶ Примечание. В этот бульон можно прибавлять шампиньоны, обмыв их сперва хорошенько и поварив полчаса, а также рюмку хереса или мадеры.

№ 37. Суп-пюре (протертый) из тетерева

1,6 кг говядины (ссека или огузка) • 1 тетерев • 100 г сладкого мяса • 6 петушиных гребешков • 1 корень петрушки • 1/2 или 1 корень сельдерея • 1 корень порея • 1 морковь • 10 зерен перца • 200 г белого хлеба • 1 ст. л. чухонского масла • 1 1/2 ст. л. сливочного масла • 1 яйцо • 7–8 шампиньонов • 1/2 стакана малаги

• 1/4 ч. л. мускатного ореха (кто желает) • 1 ст. л. рубленой зелени петрушки • Соль

Сварить бульон из говядины и кореньев, как сказано в рецепте № 1, с английским перцем, солью и луковицей; процедить.

Взять тетерева, снять мясо с костей, сварить в бульоне; половину мяса изрубить с половиной мякиша белого хлеба и столовой ложкой сливочного масла; истолочь, протереть сквозь сито, положить в кастрюлю, добавить столовую ложку чухонского масла и нагреть, не давая кипеть и постоянно помешивая; потом влить несколько ложек бульона, протереть еще раз сквозь сито и развести остальным бульоном.

Другую половину мяса изрубить, истолочь и прибавить остальную половину мякиша хлеба, яйца, половину столовой ложки сливочного масла, половину чайной ложки соли, протереть сквозь сито и полученную массу наложить на нож, сгладить и снимать другим ножом, нарезая маленькими кусочками, который опускать в кипящую соленую воду.

Когда эта кнель поспеет (это узнается по тому, что она всплывает наверх), откинуть на решето.

Между тем отварить шампиньоны, сладкое мясо и петушиные гребешки, нарезать их кусочками и опустить в суп вместе с кнелью.

Перед подачей влить полстакана малаги. Можно всыпать мускатный орех и рубленую петрушку.

№ 38. Раковый суп

1/2 курицы • 400 г говядины (жирного сseка) • 800 г телятины • 100 г ветчины • 1/2 моркови • 1/2 корня сельдерея • 1/2 корня петрушки • 10 шампиньонов или сморчков • 25 раков • 200 г белого хлеба • 4 ст. л. чухонского или сливочного масла • 1/2 ч. л. натертого мускатного ореха • 1 ст. л. рубленой зелени петрушки • 1/2 стакана сметаны или малаги (кто желает)

Отварив в воде раков, вылущить из них шейки и клешни. Между тем шелуху (лузгу)

высушить и истолочь как можно мельче в ступке, выложить в кастрюлю и жарить, мешая, в двух столовых ложках коровьего масла до тех пор, пока не покраснеет и не начнет пениться; процедить.

Нарезать мелко половину курицы, говядину, телятину и ветчину, накрошив несколько луковиц и кореньев петрушки и сельдерея, все это жарить 15 минут в уже приготовленном раковом масле; потом прибавить горсть истертого белого хлеба, посолить и, налив на все шестнадцать стаканов воды, кипятить три часа; процедить.

Между тем очистить, перемыть и сварить в мясном бульоне свежие сморчки или шампиньоны, процедить, смешать тот и другой бульоны, вскипятить, процедить.

При подаче на стол на дно суповой чаши нужно сперва положить нарезанный ломтиками и поджаренный в масле белый хлеб, на него — сморчки или шампиньоны и раковые шейки с клешнями, а потом налить суп и посыпать мускатным орехом и рубленой зеленью петрушки. Можно подбелить сметаной или влить полстакана малаги.

К этому супу подаются пирожки.

№ 39. Суп на манер черепахового

1/2 телячьей головы • 1/2 курицы • 400 г говядины (ссека) • 400 г телятины • 2 цыпленка • 2 луковицы • 3–4 ст. л. сливочного или чухонского масла • 1 ст. л. муки • 1/2 моркови • 1/2 корня петрушки • 1/2 корня сельдерея • 1/2 стебля лука-порея • 5 оливок • 1 рюмка мадеры • 2 лимона • 10 сморчков или шампиньонов • 2 яичных желтка • 2 ч. л. соли • 1/4 ч. л. натертого мускатного ореха • 1 ст. л. рубленой зелени петрушки • 3/4 стакана сметаны (кто желает)

Сварить крепкий бульон из ссека, телятины, курицы, цыплят, телячьей головы, луковиц в перьях, разных кореньев (по половинке каждого), английского перца, соли и шестнадцати стаканов воды, как можно чаще снимая пену (см. рецепт № 1).

Затем процедить бульон и всю мясную провизию сполоснуть теплой водой; бульон слить

опять в кастрюлю, а мясо снять с костей и изрезать на куски.

Нарезать луковицы кружками, пожарить докрасна в двух ложках сливочного или чухонского масла, прибавить ложку муки и еще поджарить. Потом сложить в бульон и вскипятить; положить туда нарезанное мясо, оливки, влить рюмку мадеры и сок из лимонов, прибавить горсть сморчков или шампиньонов с бульоном, в котором они варились, прокипятить еще раз.

Яичные желтки выпустить в миску, развести, мешая, горячим бульоном, всыпать натертый мускатный орех, рубленую зелень петрушки и подавать.

Можно подбелить сметаной.

Раздел II
Горячие супы без мяса

Горячие супы без мяса приготовляются или на рыбном, или на грибном бульоне, или просто на воде и масляной подправке. Притом они бывают скоромные и постные. В первые кладутся коровье масло, сметана, если нужно, яйца и прочие скоромные приправы, во вторые — только постные масла, как то: маковое, горчичное, миндальное, прованское, подсолнечное и прочие.

Рыба и коренья чистятся и приготовляются, как сказано в «Общих наставлениях».

Супы без мяса приготовляются при соблюдении почти тех же правил, как и горячие мясные супы (см. Раздел I. «Общие правила приготовления горячих мясных супов»).

Если суп варится из рыбы, то на каждого человека нужно брать от 400—600 граммов рыбы. Для ухи и рыбных супов лучше всего брать ершей, окуней, налимов, стерлядей, пескарей, щук, судаков и линей.

На каждого человека берется три стакана холодной воды.

Варятся супы без мяса до готовности варимой в них провизии.

Пропорция назначена на четыре человека (об увеличении или уменьшении пропорций см. в «Общих наставлениях»).

№ 1. Уха из стерлядей и разной рыбы

10–15 ершей (смотря по величине их) • 1 налим (400–600 г) • 1–2 стерляди (1,2 кг) • 2–3 луковицы • По 1/2 или 1 штуке моркови, лука-порея, корня петрушки и корня сельдерея • 1/2 репы • 2 ч. л. соли • 1/2 лимона • 1 ст. л. рубленой зелени петрушки или укропа

По желанию: 3–4 зерна английского перца, 1 лавровый лист, 10 штук картофеля, 1 рюмка хереса или мадеры (или 1/2 бутылки шампанского)

Взять ершей, налима и стерлядь, перемыть в воде, выскоблить чешую, очистить и выпотрошить, как сказано в «Общих наставлениях», и перемыть в двух-трех холодных водах.

Между тем налить в кастрюлю двенадцать стаканов холодной воды, положить очищенную луковицу, по половине корня петрушки, сельдерея, моркови и порея (средней величины), соль и, кто любит, зерна английского перца и лавровый лист, поставить на довольно сильный огонь и дать вскипеть.

Когда вскипит ключом, опустить рыбу, дать ей раз вскипеть, наблюдая, чтобы уха не сбежала, влить столовую ложку холодной воды, поставить на менее горячее место и дать ухе тихо кипеть, то есть перебираться с одного края, снимая шумовкой пену и наблюдая, чтобы она не сбежала и рыба не переварилась. Варить рыбу нужно от 20 до 30 минут.

Когда рыба уварится до готовности (это узнается по тому, что она всплывает наверх и у нее лопаются глаза), снять кастрюлю с огня, вынуть осторожно рыбу, чтобы не раскрошить ее, рыбной ложкой или шумовкой, сполоснуть ее теплой водой, уху же процедить сквозь частое волосяное сито или салфетку.

Затем ополоснуть кастрюлю теплой водой, слить опять туда процеженную уху, положить в нее одну или две мелко нашинкованные луковицы и половинки ломтиков лимона (в кожице, но без зерен), дать раза два вскипеть и подавать, посыпав рубленой зеленью петрушки или укропа.

Кто любит, может положить в уху нашинкованные или точеные картофель, полморкови, полрепы, полкорня петрушки. Их нужно положить в процеженную уху, варить 15—20 минут и, когда они будут почти готовы, опустить нашинкованный лук и лимон.

Можно также влить в уху, за три минуты до подачи на стол, рюмку хереса или мадеры либо полбутылки шампанского.

№ 2. Уха из мелкой рыбы

1,2 кг мелкой рыбы • По 1/2 или 1 штуке кореньев: моркови, петрушки и сельдерея • 2–3 луковицы • 10 штук картофеля • 2 ч. л. соли • 1 лимон • 1 ст. л. рубленой зелени петрушки или укропа • 1 ст. л. сливочного масла (если уха не постная)

Вычистить и выпотрошить мелкую рыбу, как то: ершей, пескарей, окуней и т. п., как сказано в «Общих наставлениях».

Налить в кастрюлю или горшок двенадцать стаканов холодной воды, положить луковицу и коренья, посолить, дать вскипеть, положить очищенную и перемытую в нескольких водах рыбу и варить, снимая пену, до тех пор, пока вся рыба не разварится.

Процедить бульон, поставить его на огонь, положить нашинкованные коренья и варить до готовности. Когда будут почти готовы, положить одну или две нашинкованные луковицы, дать вскипеть.

Подавая на стол, выдавить в уху сок из лимона или положить три-четыре половинки ломтиков лимона, добавить столовую ложку сливочного масла (если уха не постная) и посыпать рубленой зеленью петрушки или укропа.

▶ Примечание. Если желают подать эту уху по-немецки, то за три минуты до подачи на стол влить в нее стакан-полтора сметаны, вскипятить и подавать.

№ 3. Гороховый суп

400 г сушеного желтого гороха • 3 ст. л. постного или 2 ст. л. коровьего масла • 2 ч. л. соли • 2 ст. л. крупитчатой муки • 2 луковицы • 100 г белого хлеба

Взять сушеный желтый горох, перемыть его в нескольких водах (холодных), залить с вечера двенадцатью стаканами холодной воды и мочить до утра.

Утром слить вместе с горохом в кастрюлю или горшок и варить до совершенной мягкости гороха (три-четыре часа). Затем откинуть на решето, развести отваром из-под гороха, слить в кастрюлю или горшок, вылить туда подправку (для подправки распустить в особой кастрюле две столовые ложки макового,

горчичного или какого-либо другого постного или одну столовую ложку чухонского масла, всыпать муку, дать раза два или три вскипеть, развести отваром из-под гороха), прокипятить, положить искрошенные и поджаренные в ложке масла луковицы, горох, соль и дать несколько раз вскипеть.

Подавать с гренками из белого хлеба.

▸ Примечание. Гороховый суп можно приготовить и на мясе. В таком случае варить горох с 1,2 кг говядины (огузка, ссека или кострeца) или 800 г свинины, тщательно снимая шумовкой пену. В остальном поступать, как сказано выше.

№ 4. Пюре из сухого гороха

600 г сухого гороха • 2 моркови • 2 луковицы • 3 ст. л. постного или коровьего масла • 2 ст. л. муки • 1 корень петрушки • 2 ч. л. соли • 200 г белого хлеба

По желанию: 3 зерна английского перца, 1 лавровый лист

Положить на сутки горох в воду, откинуть на решето. Налить в кастрюлю или горшок двенадцать стаканов холодной воды, положить горох, моркови, луковицы, корешок петрушки и, кто любит, зерна английского перца и лавровый лист; варить горох три-четыре часа, пока он совершенно не разварится.

Когда горох поспеет, откинуть его на решето, протереть, развести процеженным отваром из-под гороха, положить подправку (муку вскипятить в столовой ложке коровьего или двух столовых ложках постного масла и развести отваром из-под гороха), соль, искрошенные и изжаренные в столовой ложке масла луковицы, вскипятить и подавать.

Подается с гренками, то есть обжаренными в масле кусочками белого хлеба.

▸ Примечание. Этот суп можно приготовлять и на мясе (см. предыдущее блюдо).

№ 5. Пюре из риса

1$^{1}/_{2}$ стакана риса • 1 луковица • 1 морковь • По 1 корню петрушки, сельдерея, порея • 1–2 лавровых листа (кто желает) • 2 ст. л. муки • 3–4 ст. л. коровьего или постного масла • 2 ч. л. соли

- *$^1/_4$ ч. л. натертого мускатного ореха*
- *1 ст. л. рубленой зелени петрушки*

Перемыв в двух-трех водах (холодных) рис, сложить его в кастрюлю, налить четырнадцать стаканов холодной воды, положить одну-две столовые ложки сливочного, чухонского или постного масла, цельную луковицу, морковь и по цельному корешку петрушки, порея и сельдерея.

Разварить, вынуть коренья, протереть рис через сито, развести отваром из-под него, положить в кастрюлю, посолить, прибавить натертый мускатный орех и приправку из муки, вскипяченной в двух столовых ложках масла и разведенной отваром из-под риса; варить полчаса.

Подавая, посыпать рубленой зеленью петрушки.

▶ Примечание 1. Таким же образом приготовляется пюре из перловой крупы.

▶ Примечание 2. Если желают приготовить этот суп на мясном бульоне, то, сварив и процедив бульон, как сказано в рецепте № 1 раздела о горячих мясных супах, залить четырнадцатью стаканами бульона полтора стакана перемытого риса, разварить его и далее поступать, как сказано выше.

№ 6. Картофельное пюре на грибном бульоне

20 штук картофеля средней величины • $^1/_2$ корня петрушки • $^1/_2$ корня сельдерея • $^1/_2$ моркови • $^1/_2$ стебля порея • 2 ч. л. соли • 3 луковицы • 2 ст. л. масла • 100 г сушеных белых грибов • 2 ст. л. муки • 1 ст. л. рубленой зелени петрушки

Перемыв в двух-трех водах (холодных) сушеные грибы, сложить их в кастрюлю, налить четырнадцать стаканов холодной воды, положить соль, очищенную луковицу, очищенные морковь, порей, корень сельдерея и петрушки и варить час на легком огне.

Затем процедить, слить бульон опять в кастрюлю, положить очищенный и мелко нарезанный картофель и варить, пока он не разварится.

Когда картофель разварится, протереть его сквозь решето, развести бульоном, слить опять в кастрюлю, положить подправку (см. гороховый суп, рецепт № 3), разрезанные грибы, поджаренный в масле лук, дать несколько раз вскипеть и подать, посыпав рубленой зеленью петрушки.

▶ Примечание. Как готовить этот суп на мясном бульоне, см. примечание 2 к предыдущему блюду.

№ 7. Зеленые щи с грибами

100 г сушеных белых грибов • 400 г щавеля • 1 луковица • 1/2 моркови • 1/2 корня петрушки • 1/2 корня сельдерея • 2 ч. л. соли • 2 ст. л. масла • 1 ст. л. муки

Сварить бульон из хороших сушеных белых грибов, положить немного кореньев, как сказано в предыдущем блюде, процедить.

Между тем перебрать щавель, вымыть, отжать, мелко изрубить, обжарить в одной столовой ложке масла, опустить в процеженный бульон, дать поспеть, заправить мукой и маслом (см. гороховый суп, рецепт № 3) и снова дать поспеть.

Перед подачей грибы нашинковать, опустить в суп, вскипятить.

▶ Примечание. Если этот суп готовится скоромный, то к нему можно подать полстакана сметаны и яйца, крутые или «в мешочек», по одному на человека.

№ 8. Зеленые щи с рыбой

400 г щавеля • 3 ст. л. масла • 1,2 кг рыбы • 2 ч. л. соли • 2 ст. л. муки • 1 корень петрушки • 1 корень сельдерея • 1 корень порея • По желанию: 3 зерна английского перца, 1 лавровый лист

Перебрав, перемыв и обжарив в масле щавель или шпинат, масло слить, а зелень протереть сквозь сито, положить в кастрюлю, залить бульоном, приготовленным из рыбы, как сказано в рецепте № 2 этого раздела, и варить до готовности зелени.

За 15 минут до обеда заправить щи мукой и маслом, в котором жарилась зелень (для этого вскипятить муку в масле из-под зелени, развести бульоном и вылить в суп).

▶ Примечание. Если эти щи делаются скоромные, то подать к ним сметану.

№ 9. Суп из свежей капусты

1 небольшой кочан капусты • 1,2–1,6 кг рыбы (осетрины, белужины) • 1 луковица • 1 корень петрушки • 1 корень сельдерея • 1 морковь • 10 штук картофеля • 2 ст. л. коровьего или постного масла

• 2 ст. л. муки • 2 ч. л. соли • Хлеб и масло для гренков • 1 ст. л. рубленой зелени петрушки • По желанию: 3 зерен английского перца, 2 лавровых листа

Разрезать кочан капусты на несколько кусков, ошпарить их, положить в кастрюлю с куском рыбы (осетрины, белужины), залить водой и варить, снимая пену и не давая сплывать. Когда поспеет рыба, вынуть ее, а бульон с капустой продолжать варить, прибавив лук и крошеные коренья.

Можно положить подправку, то есть муку вскипятить несколько раз в постном или коровьем масле, развести бульоном и влить в суп.

Подавать можно со сметаной (если суп скоромный). Посыпать рубленой зеленью петрушки.

№ 10. Щи из свежей капусты

1 кочан капусты • 2–3 луковицы • 1 корень петрушки • 2 моркови • 3 ст. л. масла • 2 ст. л. муки • 2 ст. л. уксуса • 2 ч. л. соли • 1 ст. л. рубленой зелени петрушки

Нарезать кочан свежей капусты, положить на несколько минут в кипяток, потом откинуть на решето, отжать; нарезать луковицы, изжарить в масле, прибавить обваренную капусту, подлить масла и обжарить.

Вскипятить муку в масле, налить воды пополам с квасом (всего двенадцать стаканов), положить капусту, лук и соль, прибавить нашинкованные корень петрушки и две моркови, влить уксус и поставить в печь или на плиту, чтобы упрело.

Подавая, посыпать рубленой зеленью петрушки.

№ 11. Солянка рыбная

400 г осетрины • 400 г белужины • 400 г семги • 400 г кислой капусты • Коровье или постное масло • 2 ст. л. муки • 2 луковицы • 2 лавровых листа • 4 зерен перца • 1 ст. л. уксуса • 1 ст. л. каперсов • 10 оливок • Соленые огурцы • 1 ст. л. рубленой зелени петрушки

Вымыть куски семги, осетрины и белужины, нарезать их кусочками, изжарить на сковороде в двух столовых ложках коровьего или трех столовых ложках постного масла, часто помеши-

вая, чтобы рыба зарумянилась со всех сторон.

Взять кислой капусты, намочить в холодной воде, отжать, изрубить две луковицы; сложить капусту и лук в кастрюлю, влить две столовые ложки масла, обжарить, налить рыбного отвара, положить лавровый лист и перец, опустить рыбу, подправить мукой, вскипяченной в масле, и уксусом и кипятить.

Когда поспеет, прибавить каперсы, оливки и ломтиками нарезанные соленые огурцы.

Подавая, посыпать рубленой зеленью петрушки.

▸ Примечание. Так же готовится солянка из всякой другой рыбы.

№ 12. Бураки на рыбном бульоне

1,2 кг головизны • 1 корень петрушки • 1 корень сельдерея • 1 морковь • 3 зерна английского перца • 2 лавровых листа • 5 штук свеклы • 1–2 печеные луковицы • 2 ст. л. муки • 4 ст. л. масла • 2 ст. л. уксуса • 2 ч. л. соли

Взять головизну, вымыть ее, нарезать кусками, положить в горшок или кастрюлю, положить луковицу, морковь и коренья, зерна английского перца, лавровые листья, соль (если головизна свежая, а не соленая), налить двенадцать стаканов холодной воды и варить.

Когда головизна поспеет, вынуть ее, бульон процедить, влить опять в горшок или кастрюлю, положить коренья и нашинкованную свеклу, а также печеные луковицы и поставить на плиту или в печь.

За полчаса до обеда подправить мукой, вскипяченной в двух столовых ложках масла, и влить уксус.

№ 13. Борщ с жареными карасями

1,2 кг головизны • $^1/_2$ небольшого кочана капусты • 5 штук свеклы • 1 морковь • 1 корень петрушки • 1 корень сельдерея • 2 луковицы • 2–3 ст. л. уксуса • 3–4 ст. л. масла • 2 ст. л. муки • 2 лавровых листа • 5 зерен английского перца • 2 стакана кваса • 6 карасей • 1 ст. л. рубленой зелени петрушки

Нашинковать белую капусту, свеклу, морковь, разные

коренья и лук, поджарить все это в масле.

Положить обжаренные овощи в горшок или кастрюлю, налить десять стаканов отвара из-под головизны, приготовленного, как сказано в предыдущем блюде, и процеженного, посолить, если нужно. Вскипятить несколько раз, развести двумя стаканами кваса, положить лавровый лист и перец, уксус и подправку из муки, вскипяченной в двух столовых ложках масла, и вскипятить.

Вычистив, выпотрошив и вымыв несколько карасей, обвалять их в муке и обжарить на сковороде в масле, поворачивая, чтобы зарумянились со всех сторон. За четверть часа до обеда опустить жареных карасей в борщ.

Перед подачей посыпать рубленой зеленью петрушки.

▶ Примечание. Если этот борщ готовится скоромный, то можно забелить сметаной (три четверти стакана).

№ 14. Кислые щи с головизной

1,2 кг осетровой головизны • 400 г кислой капусты • 2 ст. л. муки • Коровье или постное масло • 2 луковицы • 2 лавровых листа • 5 зерен английского перца

Осетровую головизну намочить с вечера.

Утром взять кислую капусту, залить водой, отжать и обжарить в постном или коровьем масле (три столовые ложки), с искрошенной луковицей. Головизну вымыть, уложить в горшок вместе с обжаренной капустой и поставить вариться, снимая пену.

Когда они будут почти готовы, вскипятить в отдельной кастрюле муку в двух столовых ложках постного или коровьего масла, смешать с супом, положить лавровый лист, горошины перца и рубленый лук, который прокипятить сперва в достаточном количестве масла; положить также и масло из-под лука. Все это вылить в щи, размешать хорошенько и варить полчаса, не давая сплывать.

№ 15. Грибные щи

100 г сушеных белых грибов • 400 г кислой капусты • 2 луковицы • 1 корень петрушки • 2 ст. л. муки

• 3 ст. л. масла • 2 лавровых листа
• 5 зерен английского перца • Соль

Приготовить грибной отвар, как сказано в рецепте № 6 этого раздела.

Положить кислую капусту в горшок или кастрюлю вместе с печеной луковицей, залить грибным отваром и поставить вариться. Дав вскипеть несколько раз, положить корень петрушки.

За полчаса до обеда вскипятить муку с двумя столовыми ложками масла, прибавить лавровый лист, соль по вкусу, горошины перца и лук, поджаренный в одной ложке масла. Заправить этим щи, прибавить вареные грибы, мелко изрубленные, вскипятить и подавать.

№ 16. Грибной суп

100 г сушеных белых грибов • 1 корень петрушки • 1/2 корня сельдерея • 2 луковицы • 2 ст. л. постного или коровьего масла • 2 ст. л. муки • 1 стакан риса • 1 ст. л. рубленой зелени петрушки • 10–12 маслин (по желанию)

Отварить сушеные белые грибы, как сказано в рецепте № 6 этого раздела, положить нашинкованные коренья и печеную луковицу, заправить мукой, вскипяченной в постном или коровьем масле.

За полчаса до обеда всыпать рис, варить до его готовности, а подавая, положить в миску сваренные грибы и рубленую зелень петрушки. Можно положить горсть вымытых маслин.

№ 17. Суп из грибов с перловой крупой

100 г сушеных белых грибов • 1/2 стакана перловой крупы • 1 корень петрушки • 1 корень сельдерея • 1 корень порея • 1 морковь • 1–2 луковицы • 2 ст. л. сливочного масла • Масло для жаренья • Зелень петрушки

Отварить перловую крупу, смешать со сливочным маслом и выбить добела. Нарезать коренья, половину их пожарить в масле.

Потом положить в кастрюлю перемытые сушеные белые грибы и коренья (как сырые, так и обжаренные), прибавить лук, налить двенадцать

стаканов холодной воды и варить один час.

Затем процедить, слить бульон опять в кастрюлю, положить мелко нарубленные вареные грибы и перловую крупу, варить полчаса, посыпать рубленой зеленью петрушки и подавать.

№ 18. Суп из свежих грибов

2 ст. л. крупитчатой муки • 2 ст. л. сливочного масла • 300 г очищенных свежих грибов • 1 морковь • 1 корень петрушки • $^1/_2$ корня сельдерея • $^1/_2$ корня порея • 1 луковица • 1 ст. л. рубленого укропа • 1 лимон • 2 ч. л. соли • $^1/_4$ ч. л. тертого мускатного ореха (кто желает)

Распустить сливочное масло в кастрюле, всыпать муку, растереть, дать раз или два вскипеть, налить понемногу два стакана горячей воды, посолить и вскипятить, помешивая, чтобы не было комков.

Добавить свежие грибы, перемыв их, одну искрошенную луковицу, коренья и соль; затем налить, помешивая, еще десять стаканов горячей воды. Кипятить до готовности кореньев, снимая накипь. Если суп очень загустеет, то подлить во время варки теплой воды.

Когда коренья и грибы будут готовы, процедить суп, вынуть грибы и коренья, первые разрезать и опустить в суп. Поставить кастрюлю опять на огонь, выжать сок из лимона, перед подачей посыпать рубленым укропом.

▶ Примечание. Если этот суп готовится скоромный, то забелить его сметаной (три четверти стакана). Кто любит, может положить тертый мускатный орех.

№ 19. Суп-пюре с шампиньонами

10–15 шампиньонов • 1 лимон • 2 ст. л. муки • 2 ч. л. соли • 3 ст. л. масла • 100 г сушеных грибов для отвара • $^1/_4$ ч. л. тертого мускатного ореха • 1 ст. л. рубленой зелени петрушки • 1 рюмка хереса или мадеры (кто желает)

Вымыть шампиньоны, обрезать концы корешков, положить в кастрюлю, накрыть крышкой, влить сок из лимона и воду, поставить на огонь и дать упреть. Откинуть на решето, изрубить,

протереть сквозь решето или редкое сито.

Положить протертые шампиньоны в кастрюлю с одной ложкой масла, обжарить, влить жидкий грибной отвар, приготовленный из хорошо перемытых сушеных грибов, как сказано в рецепте № 6 этого раздела, вскипятить, посолить.

Положить подправку, приготовленную из муки и двух столовых ложек хорошего чухонского, макового, горчичного или прованского масла (см. рецепт № 3 этого раздела), вскипятить, положить тертый мускатный орех, рубленую зелень петрушки и подавать.

Можно влить рюмку хереса или мадеры.

№ 20. Суп с фрикадельками или фаршем

1,2 кг свежей мелкой рыбы • 1,2 кг свежей осетровой головизны • 200 г белого хлеба • 1 яйцо или 2 ст. л. крупитчатой муки • 1 корень сельдерея • 1 морковь • 3 луковицы • 1 лавровый лист • 3 зерна английского перца • $^1/_4$ ч. л. мелкого перца • $^1/_4$ ч. л. натертого мускатного ореха • $^1/_2$ лимона • 1 ст. л. рубленой зелени петрушки • Соль

Взять какой угодно свежей мелкой рыбы, вычистить, выпотрошить, снять с нее кожу, выбрать кости, мясо истолочь в ступке, смешать с размоченным белым хлебом, посолить, положить натертый мускатный орех, мелкий перец, и если суп готовится скоромный, то одно яйцо, если постный, то две ложки крупитчатой муки, и наделать небольших шариков.

Между тем кожу, кости и головы от рыб варить на сильном огне, положить луковицу и коренья (по корешку), полторы чайные ложки соли, английский перец и лавровый лист (можно положить еще головизну от свежего осетра).

Потом процедить бульон, слить опять в кастрюлю, положить нашинкованные коренья, две луковицы, опустить шарики и дать им поспеть. Положить четыре ломтика лимона или сок из половины лимона, посыпать рубленой зеленью петрушки.

№ 21. Раковый суп

50 раков • 1,2 кг рыбы • 1/2 моркови • 1/2 корня петрушки • 1/2 корня сельдерея • 1/2 стебля порея • 4 ст. л. постного или коровьего масла • 200 г белого хлеба • 4 ч. л. соли • 1/4 ч. л. натертого мускатного ореха • 1/2 лимона • 1 ст. л. рубленой зелени петрушки или укропа • 1 рюмка хереса или мадеры (кто желает)

Вымыть раков и отварить их с солью в небольшом количестве воды. Отобрать и очистить хвостики и клешни, остальное истолочь, прибавить постного или коровьего масла и еще толочь. Положить эту массу в кастрюлю, кипятить, пока масло не покраснеет; процедить сквозь сито, хорошенько отжимая.

Полученную жидкость положить в кастрюлю вместе с натертым хлебным мякишем, дать вскипеть, протереть сквозь сито, развести рыбным отваром, приготовленным, как сказано в рецепте № 2 этого раздела, вскипятить, положить очищенные раковые хвостики и клешни, прокипятить, всыпать натертый мускатный орех, выдавить сок из половины лимона, посыпать рубленой зеленью петрушки или укропа и подавать.

Можно влить рюмку хереса или мадеры.

№ 22. Суп из вишен

600 г свежих вишен • 2 бутылки красного вина • Корки от 1/4 лимона • 1/2 ч. л. корицы • 2 стакана мелкого сахара • 3 гвоздики

Обобрать хвостики у вишен, истолочь в ступке, не вынимая косточек; влить в кастрюлю поровну вина и воды (всего двенадцать стаканов), положить толченые вишни, корки от лимона, гвоздику и корицу.

Когда вишни разварятся, протереть их сквозь сито, прибавить мелкий сахар, подогреть и подавать.

№ 23. Суп из яблок с клецками

10 свежих или сушеных яблок • 1 ч. л. корицы • 3 гвоздики • 1 1/2 стакана мелкого сахара

Для клецок: $2^1/_2$–3 стакана крупитчатой муки • 3 ст. л. сливочного масла • 2 яйца • $1^1/_2$ ч. л. соли

Налить в кастрюлю двенадцать стаканов холодной воды, положить корицу, гвоздику и варить один час. Затем опустить вымытые и разрезанные на четыре части свежие яблоки (или цельные сушеные яблоки), всыпать мелкий сахар и варить на легком огне, не допуская шибко кипеть и не давая яблокам развариваться, 20—30 минут.

Между тем растереть добела или растопить сливочное масло, вбить два яичных желтка, положить чайную ложку соли, растереть, всыпать полстакана крупитчатой муки, разбить в тесто, развести половиной стакана холодной воды, размешать, подсыпать еще стакан муки, опять разбить, чтобы не было комков, развести еще половиной стакана воды, всыпать еще стакан муки, бить тесто минут пять.

Потом положить пену из двух белков, бить еще минуты три.

Налив в кастрюлю воды до половины, вскипятить, положить половину чайной ложки соли. Опустить клецки в кипящую воду чайной ложкой, обмакивая ее в холодную воду, дать несколько раз вскипеть. Когда будут готовы (всплывут наверх), выбрать их дуршлаговой ложкой, сложить в миску, облить яблочным супом и подавать.

▶ Примечание. Если этот суп желают подать постным, то вместо клецок им обливают гренки из белого хлеба (200 г), то есть четырехугольные кусочки, засушенные в печи.

Раздел III

Мясное жаркое, или жареное мясо

ОБЩИЕ ПРАВИЛА

1. Вымыть и очистить говядину, телятину, баранину, свинину, домашнюю птицу или дичь, назначенные для жаренья, как сказано в «Общих наставлениях» в начале книги; посыпать или натереть их солью и дать полежать от получаса до двух часов, смотря по величине данной провизии.

2. Для жаренья берутся из говядины вырезка из филея и тонкого края (преимущественно для бифштекса), тонкий и толстый филей, огузок и ссек; из телятины, баранины и свинины — преимущественно задняя четверть, то есть задняя нога. Для котлет берут котлетную часть.

3. Телятина и баранина делаются нежнее, если замочить их с вечера в молоке.

4. Дичь, а иногда и говядина и домашняя птица, обыкновенно или обкладываются тонкими ломтиками шпика, или шпигуются. В первом случае нужно нарезать шпик тонкими ломтиками, обложить всю живность и потом обвязать ниткой; во втором же он нарезается узенькими полосками и подводится шпиговальной иглой под кожу дичи или в самое мясо.

5. Во время жаренья нужно наблюдать, чтобы жаркое хорошо зарумянилось со всех сторон, для чего его нужно чаще поворачивать.

6. Когда жаркое — говядина куском, домашняя птица или дичь — изжарится, то говядину нарезать ломтями, дичь же мелкую разнять вдоль на две части или вдоль и поперек на четыре

части; крупную же дичь и домашнюю птицу — на шесть или восемь частей.

7. Так как жаркое иногда приготовляется из цельной крупной домашней птицы, например индеек, гусей, а также из цельных задних четвертей телятины, баранины и прочего, которые неудобно делить сырыми на части, то для таких блюд провизия назначена нами не на четыре, а на большее число лиц.

8. Жареное мясо подается с жареным картофелем, различными соусами из овощей, салатом и прочим, о приготовлении которых будет сказано особо в разделе XV.

№ 1. Жареная телятина

На 8–12 человек: Задняя четверть телятины (4–6 кг) • 100–200 г чухонского или русского масла • 1½–2 ст. л. соли • 1 ст. л. рубленой зелени петрушки

Взять заднюю четверть телятины, то есть окорок, вымочить в воде или молоке, чтобы была белее, обрубить нижнюю часть голяшки (если телятина не подается в папильотках) и сверху хребет, натереть солью, дать полежать час.

Затем стереть лишнюю соль, положить на противень с двумя столовыми ложками чухонского или русского масла. Окорок тоже обмазать маслом, поставить в печь и жарить, наблюдая, чтобы телятина, как нежное мясо, не пережарилась, а для этого надобно ее поворачивать с одной стороны на другую и поливать обе стороны маслом.

Когда же телятина довольно зарумянится с обеих сторон, облить ее половиной стакана холодной воды, проколоть в разных местах вилкой и жарить опять, поворачивая со стороны на сторону. Минут через десять опять полить водой, проколоть вилкой и поставить опять в печь и т. д. почти до готовности телятины.

Под конец жаренья полить телятину соком, который из нее вытек, обсыпать толчеными сухарями и поставить еще на пять минут в печь. Жарить нужно ее, смотря по величине четверти, от получаса до часа.

Когда телятина будет готова, вынуть ее, нарезать столько ломтей, сколько требуется (подавая, их можно опять сложить так, чтобы телятина казалась цельной), подливу же процедить, снять с нее сверху жир, посыпать телятину рубленой зеленью петрушки и подавать.

▶ Примечание. Так же можно приготовить и баранину.

№ 2. Жареная говядина

На 4 человека: 1,6–2 кг филея или ссека • 2 ч. л. соли • 2 ст. л. чухонского или русского масла • 1 ч. л. рубленой зелени петрушки • 12 штук картофеля (кто желает)

Для жареного мяса нужно выбрать филейную часть говядины или ссек, хорошенько вымыть мясо, посолить, дать полежать полчаса, положить на противень, положить одну или полторы столовые ложки масла, сверху обмазать немного маслом. Поставить в печь и жарить, поворачивая со стороны на сторону, чтобы говядина равномерно зарумянилась и не пригорела.

Когда зарумянится, полить двумя-тремя столовыми ложками воды и поставить опять в печь, потом опять полить водой и т. д. Жарить всего от 30 до 45 минут.

Вместе с говядиной можно жарить сырой очищенный картофель. Подавая, нарезать мясо ломтями, облить процеженным соусом или подливой и посыпать рубленой зеленью петрушки.

№ 3. Бифштекс

1,2 кг вырезки филея или тонкого края • 1 ст. л. чухонского или русского масла • 1 ч. л. соли • $^1/_4$ ч. л. мелкого русского перца • $^1/_2$ корешка хрена • 1 ч. л. рубленой зелени петрушки • 12 штук картофеля

Взять вырезку тонкого края или филея, разрезать на довольно большие круглые ломти, вынуть жилы и кости, побить скалкою с обеих сторон, посыпать солью и русским перцем, положить один ломоть на другой и дать полежать так 15 минут.

Между тем раскалить сковороду, распустить на ней половину столовой ложки масла; когда закипит, снять сковороду

с плиты, опустить в масло ломти бифштекса и жарить. Как зарумянится с одной стороны, перевернуть на другую, не давая говядине пережариться, но чтобы она давала сок, если воткнуть в нее вилку.

Переворачивать несколько раз, чтобы бифштекс зарумянился со всех сторон. Если будет гореть, то прибавить масла. Жарить всего, если желают, чтобы бифштекс был внутри сыроватым (по-английски), — 5 минут, если прожаренным, то 10 минут.

Сняв бифштекс, налить три столовые ложки бульона или кипятка, дать прокипеть, облить бифштекс.

Уложить куски на блюдо к одному краю, а к другому положить жареный картофель и наструганный хрен (но не тертый). Можно посыпать бифштекс рубленой зеленью петрушки.

№ 4. Французский бифштекс

На 4 человека: 1,2 кг вырезки • 200 г прованского масла • 1 ч. л. соли • $^1/_2$ корешка хрена • 1 ст. л. коровьего масла • 10–12 штук картофеля • 1 ч. л. рубленой зелени петрушки

Нарезать филей ломтями толщиной в палец, расколотить каждый кусок скалкой, положить на два часа в прованское масло, посолить. Раскалить сковороду, изжарить в коровьем масле, как сказано в предыдущем рецепте.

Перед подачей уложить бифштекс на блюдо, облить его же подливкой, украсить картофелем и тонко настruганным хреном и посыпать рубленой зеленью петрушки.

№ 5. Ростбиф

На 4 человека: 2–2,4 кг говядины

• 10–15 штук картофеля • $1^1/_2$ ч. л. соли

• 2 ст. л. чухонского или русского масла

• 1 ст. л. рубленой зелени петрушки

• По желанию: 5 зерен английского перца, 2 лавровых листа, 1 луковица

Кусок филейной говядины вымыть, потом побить деревянной скалкой или обухом топора, посолить и дать полежать полчаса. Распустить на противне масло, положить говядину, поставить

в русскую или духовую печь и жарить, поворачивая со стороны на сторону, наблюдая, чтобы говядина зарумянилась, но не пригорела.

Когда зарумянится и мясо пустит из себя сок, проколоть вилкой, обложить его крупным вареным картофелем, обсыпанным солью. Кто любит, добавить в сок зерна английского перца, лавровый лист и немного лука. Если сока будет мало, то полить говядину водой или бульоном.

При подаче мясо переложить на блюдо, разрезав на ломти, а также переложить картофелем. Сок процедить сквозь частое сито и вылить на ростбиф. Посыпать рубленой зеленью петрушки.

№ 6. Жаренная в горшке говядина

На 4 человека: 1,6 кг говядины • Молоко для вымачивания • 50 г коровьего масла • 1 ч. л. соли • 3–5 зерен английского перца • 2 лавровых листа • 1 ст. л. муки • 1 ст. л. уксуса (кто желает)

Обмыть говядину и положить на ночь в молоко.

На другой день обтереть говядину, посолить, дать полежать полчаса, разогреть в горшке коровье масло, положить в него говядину и обжарить хорошенько со всех сторон. Потом прибавить туда два стакана воды, зерна английского перца и лавровый лист, накрыть горшок крышкой и постепенно прожаривать говядину час-полтора.

Наконец подбавить в этот соус небольшое количество обжаренной в масле муки (столовую ложку муки на половину столовой ложки масла), вскипятить и облить таким соусом жаркое при подаче на стол.

Можно прибавить в соус уксуса по вкусу.

№ 7. Жареная баранина, шпигованная чесноком

На 6–8 человек: Задняя четверть баранины (3,2–4 кг) • 100 г шпика • 2 головки чеснока • 2 ст. л. коровьего масла (чухонского или русского) • 2 ст. л. соли • Молоко для вымачивания (кто желает)

Отбив хорошенько заднюю четверть баранины (вымоченную

в воде или молоке) деревянным молотком и вымыв ее, снять осторожно верхнюю кожицу, нашпиговать мясо шпиком и чесноком, посолить и дать полежать час.

Между тем распустить на противне чухонское или русское масло, положить баранину, поставить в жарко истопленную печь и жарить, чаще поворачивая со стороны на сторону.

Когда она зарумянится со всех сторон, полить водою и поставить опять в печь, часто вынимая из нее и обливая водою, сначала не так много, а потом более, и наконец коровьим маслом, пока баранина совершенно не обжарится, на что потребуется час-два.

Подавая, облить процеженным соусом.

№ 8. Фаршированный поросенок на вертеле

На 4 человека: Поросенок около 1,6 кг • 400 г телячьей печени • 3 трюфеля • 4 шампиньона • 1 ст. л. каперсов • 4 анчоуса • Горсть шалотов • 1/4 ч. л. мелкого перца • 1/4 ч. л. натертого мускатного ореха • 2 ч. л. соли • 2–3 ст. ложки чухонского масла или 100 г свиного сала • 2 яйца и 3 желтка • 200 г мякиша белого хлеба

Обдав кипятком, очистив, выпотрошив, посолив поросенка, дать ему вылежаться.

Затем нафаршировать его следующим фаршем. Изрубленную телячью печень, из которой вынута желчь, смешать с чухонским маслом или изрубленным свиным салом, трюфелями, шампиньонами, шалотами, каперсами, анчоусами, натертым мускатным орехом, перцем и солью, хлебным мякишем. Все вместе изрубить, истолочь и развести двумя целыми яйцами и тремя желтками.

Когда поросенок будет нафарширован, связать его и положить на вертел или противень и жарить, поливая маслом, до готовности.

Всегда почти подают его с перечным соусом.

№ 9. Жареные тетерева со сливками

На 4 человека: 2 тетерева • 100 г коровьего масла • 1 стакана сливок

• 1 ч. л. соли

• 1/4 ч. л. мелкого перца

Очистить, опалить, выпотрошить и заправить тетеревов, как сказано в «Общих наставлениях» в начале книги. Натереть их солью и толченым перцем, дать полежать полчаса.

Положить на глубокий противень или в кастрюлю, прибавить коровье масло и обжарить. Когда тетерева зарумянятся, подлить сливки и жарить до готовности (от 20 до 30 минут), чаще обливая соком и переворачивая со стороны на сторону.

№ 10. Фаршированные цыплята

На 4 человека: 2 или 4 цыпленка • 400 г телятины • 100 г шпика • 200 г белого хлеба • Молоко для размачивания хлеба • 1/4 ч. л. натертого мускатного ореха • 2 яйца • 100 г чухонского масла • 2 ч. л. соли • 1 стакан сливок (кто желает) • 1 ст. л. рубленой зелени петрушки

Вычистить, выпотрошить двух или четырех цыплят, положить в теплую воду, чтобы побелели; разрезать вдоль спинки, вынуть кости, кроме ножек и крылышек, не повреждая кожицы.

Изрубить телятину, прибавить шпик, размоченный в молоке и отжатый хлеб, яйца, соль, рубленую зелень петрушки и натертый мускатный орех, хорошенько смешать. Начинить этим фаршем цыплят, зашить кожу, посолить сверху, дать полежать 15 минут.

Распустить в кастрюле чухонское масло, положить цыплят и жарить полчаса, чаще поворачивая, потряхивая кастрюлю и поливая маслом. За 5 минут до обеда можно, слив лишнее масло, влить стакан сливок.

Подавая, посыпать рубленой зеленью петрушки.

№ 11. Куропатки со сливками

На 4 человека: 100 г ветчинного сала

• 200 г ветчины • 2 куропатки

• 200 г коровьего масла • 1 зубчик чеснока • 1 корень петрушки

• 1/4 ч. л. натертого мускатного ореха

• 1 лавровый лист • 1 ст. л. муки

• 2 ч. л. соли • 1 стакан сливок

• $^1/_4$ ч. л. мелкого перца • 1 ст. л. рубленой зелени петрушки

Выложив дно кастрюли тоненькими ломтиками ветчинного сала, измельченным чесноком и петрушкой, нарезанной сырой ветчиной, положить на все это очищенных, вымытых, выпотрошенных и натертых солью куропаток.

Прибавить две столовые ложки коровьего масла, лавровый лист и английский перец, закрыть кастрюлю крышкой и, поворачивая со стороны на сторону, потряхивая кастрюлю и поливая маслом, исподволь жарить до готовности.

Потом, выложив куропаток, разделить их на части, а в соус подмешать немного муки, соли, тертого мускатного орешка, прилить туда же хороших свежих сливок и все вскипятить хорошенько до готовности; процедить.

Положить куропаток в соус, вскипятить и подавать на стол, посыпав рубленой зеленью петрушки.

№ 12. Жареный заяц

На 4 человека: 1 заяц • 2 луковицы или 6–7 шалотов • Горсть сморчков • 5 трюфелей • 4 ст. л. чухонского масла • 1 ст. л. муки • $1^1/_2$ стакана сливок • $^1/_2$ лимона или 1 ст. л. ренского уксуса • 2 ч. л. соли • 1 ст. л. рубленой зелени петрушки

Хорошенько очистить и оправить свежего зайца, как сказано в «Общих наставлениях» в начале книги. Нашпиговать его мелким шпиком, посолить, дать полежать час.

Распустить на противне (если заяц жарится цельным) или в кастрюле (если он разделен на части) три столовые ложки чухонского масла, положить туда зайца и жарить, часто поворачивая и поливая маслом.

Между тем, растопив в кастрюле столовую ложку масла, вскипятить в нем муку с нарезанным луком или шалотами, очищенными и перемытыми сморчками и трюфелями, подлить сливок, накрыть кастрюлю крышкой и уварить до надлежащей густоты. Потом приправить по вкусу солью и лимонным соком или ренским уксусом.

При подаче выложить жареного зайца на блюдо и процедить к нему сквозь сито этот соус. Жарить зайца нужно час.

№ 13. Буженина

На 4 человека: 1,2–1,6 кг парной свинины • 2 луковицы • 350 мл кислых щей • 1 зубчик чеснока • 2–3 ст. л. коровьего масла • 2 ч. л. соли
Для соуса: 2–3 луковицы • 1–2 ст. л. масла • 1–2 ст. л. муки • 1–2 ст. л. уксуса • 1 лавровый лист • 1/2 ч. л. соли • 1 ч. л. мелкого сахара

Очистив хорошенько и оскоблив ножом кожу свинины, нашпиговать ее репчатым луком. Одну луковицу нарезать и развести небольшим количеством кислых щей, прибавив зубчик чеснока, вылить это на свинину и поставить на сутки или больше в холодное место.

После этого обтереть свинину, посолить, дать полежать еще час.

Распустить на противне коровье масло, положить свинину, поставить в печь и жарить, поворачивая со стороны на сторону, чтобы хорошо зарумянилась, и поливая ее собственным соком.

▸ Примечание. К столу буженину подают с горчицею, тертым хреном и уксусом, также с нарезанным кружками жареным луком либо под следующим луковым соусом: нарезать тонкими кружками и поджарить в масле две-три луковицы (помешивая, чтобы лук не подгорел), слить с лука дочиста масло в отдельную кастрюльку, положить муку и, растерев с маслом, поджарить докрасна; потом развести бульоном, положить поджаренный лук, прибавить ложку-две уксуса, лавровый лист, соль по вкусу, жженый сахар и прокипятить хорошенько.

№ 14. Грудина жареная под красным соусом

На 4 человека: 1,6–2 кг телячьей грудины • 1/2 стакана красного вина • 2 ст. л. уксуса • 2 луковицы • 2–3 гвоздики • 1–2 лавровых листа • 1/4 лимона • 2 яйца • 4–5 сухарей • 100 г масла
Для соуса: 1 ст. л. муки • 1/2 стакана изюма • 3–4 куска сахара

Взять телячью грудину, перерубить ребра, вымыть, отварить в кипятке до полуготовности (варить час; отвар может пойти на суп), вынуть, перемыть в холодной воде, посолить, дать полежать полчаса.

В кастрюлю влить красное вино, уксус, два стакана бульона из-под телятины, положить луковицы, нашпигованные гвоздика-

ми, несколько ломтиков лимона без зерен, лавровые листья и наконец цельную грудинку, сварить до мягкости.

Вынуть грудинку, положить под пресс, остудить, нарезать продолговатыми кусочками.

Каждый кусок грудинки обмакнуть в яйцо, посыпать сухарями, поджарить на сковороде в масле с обеих сторон, сложить на блюдо, облить следующим соусом. На сковороду, на которой жарилась грудинка, всыпать ложку муки, поджарить, развести бульоном от грудины, положить куски сахара. Поджечь один кусок сахара, развести ложкой бульона, вскипятить, влить в соус, вскипятить, процедить, положить изюм и еще раз вскипятить.

№ 15. Баранина с перечным соусом

На 4 человека: 1,2–1,6 кг мякотной баранины • 100 г шпика • 2 бутылки уксуса • 1 лимон • 3 луковицы • 2–3 корня петрушки • 1 головка чеснока • 8 зерен английского перца • 2 лавровых листа • 3 гвоздики • 2 ст. л. коровьего масла

Для соуса: 1 ст. л. масла • 200 г ветчины • 1 луковица • 1 корень петрушки • 1/2 зубчика чеснока • 2 гвоздики • 2 лавровых листа • Щепотка тмина и базилика • 1 ст. л. муки • 1 стакан красного вина • 1 ст. л. уксуса • Соль и перец по вкусу

Вымыв кусок баранины, нашпиговать ее большими кусками шпика, положить на день-два в уксус с лимоном, солью, перцем, лавровым листом, гвоздикой, ломтями лука, чесноком и кореньями петрушки.

Затем обтереть баранину досуха, распустить на противне или в кастрюле две столовые ложки масла, положить баранину, поставить в печь, зарумянить со всех сторон, изжарить до готовности (от 30 до 45 минут).

Соус приготовляется так. Положить в кастрюлю столовую ложку масла, ломоть ветчины, нарезанной кусками, измельченную луковицу, нарезанный корень петрушки, английский перец, чеснок, гвоздику, лавровые листья, тмин, базилик, соль по вкусу. Держать на огне, пока не зарумянится; посыпать мукой, влить стакан красного вина, стакан воды, ложку уксуса, варить

полчаса; снять жир и процедить сквозь сито.

Облить баранину соусом и подать.

№ 16. Рубленые котлеты

На 4 человека: 800 г говядины (огузка или ссека) • 200 г белого хлеба • 2–3 яйца • 1 кусок сахара • 3–4 сухаря • 1 ст. л. коровьего масла • 1 ч. л. соли • По желанию: 1/4 ч. л. мелкого перца, 1/4 ч. л. натертого мускатного ореха

Для соуса: 15–20 г красного сухого бульона • 1 ст. л. муки • 1 ст. л. коровьего масла • 1–2 ст. л. уксуса

Взять мякотной говядины, обрезать, вымыть, изрубить мелко ножом или сечкой в деревянной чашке, прибавить мякиш вымоченного в воде и отжатого белого хлеба, соль и два яйца. Порубить еще, сделать лепешки круглой, сердцевидной или овальной формы. Можно смазать яйцом и обсыпать мелко истолченными сухарями. Кто любит, может класть в котлеты мелкий перец и натертый мускатный орех.

Наделав котлет (от 4 до 6 штук), раскалить сковороду, распустить одну столовую ложку масла, положить котлеты и изжарить, поворачивая со стороны на сторону, чтобы зарумянились (жарить 5—8 минут).

Соус к ним делать на красном бульоне: поджарить в кастрюле столовую ложку муки в масле, налить кипящего красного бульона (сперва распустив его в половине стакана кипятка). Поджечь на сковороде кусок сахара, прибавить уксус, влить в соус, помешать, прокипятить и облить на блюде котлеты.

№ 17. Отбивные свиные котлеты с острым соусом

На 4 человека: 0,8–1,2 кг свинины (от котлетной части) • 2 яйца • 4–5 сухарей • 1 ст. л. масла • 1 1/2 ч. л. соли

Для соуса: 4–5 шалотов • 1 ст. л. уксуса • 1/4 ч. л. толченого перца • 1 лавровый лист • 1 ч. л. тмина • 1 ст. л. муки • 1 ст. л. масла • 1/2 стакана бульона

Вырезать четыре котлеты, отбить, выбрать жилы, посолить, дать полежать четверть часа, обмазать яйцом, обвалять их в сухарях.

Накалить сковороду, распустить столовую ложку масла, положить котлеты. Когда обжарятся с одной стороны, повернуть на другую. Когда зарумянятся и с этой и совершенно прожарятся (жарить 10 минут), сложить на блюдо и облить маслом, в котором жарились.

Или же они подаются со следующим соусом. Положить в кастрюлю несколько шалотов, толченый перец, лавровый лист и тмин; налить полстакана бульона и уксус, уварить до половины. Потом муку поджарить в масле и добавить в соус. Уварить хорошенько, процедить и подать отдельно от котлет.

№ 18. Отбивные телячьи котлеты

На 4 человека: 0,8–1,2 кг телятины от котлетной части • 1–2 ст. л. чухонского масла • 1 ч. л. соли

Разрезав котлетную часть на четыре-шесть котлет (смотря по величине), снять позвонок с каждой котлеты, вынуть жилы и кожу; побить слегка ножом и скалкой, придать каждой котлете продолговатую форму, посолить и дать полежать минут десять, обвалять в яйце и сухарях.

Затем накалить сковороду, распустить чухонское масло, положить котлеты, обжарить, поворачивая с одной стороны на другую, с обеих сторон. Для того чтобы котлеты изжарились, нужно не более 8—10 минут.

Подавая, облить маслом, в котором жарились.

№ 19. Гусь, начиненный гречневой кашей или капустой

На 4 человека: 1 гусь • 5–6 стаканов крутой гречневой каши или кислой шинкованной капусты • 2 луковицы • 1/2 ч. л. мелкого перца • 1 ст. л. соли • 250 г коровьего масла • 100 г сушеных белых грибов

Ощипав и опалив с вечера гуся, натереть его мукой или отрубями для придания ему белого цвета. На другой день выпотрошить его, обрубив крылья, шею и ноги до колен, вычистить, хорошенько вымыть его и мочить в воде около часа. Обтереть

досуха, посолить внутри и снаружи и дать полежать час.

Между тем крутую гречневую кашу смешать с мелким перцем, искрошенными и поджаренными в масле луковицами, добавить 100 граммов масла и, кто желает, сваренных и изрубленных сушеных грибов — все это поджарить докрасна на сковороде. Так же приготовляется и кислая капуста (ее надо хорошо отжать).

Затем начинить внутренность и зоб гуся, зашить, сложить на противень, добавив туда 100 г масла, и жарить в печи час-полтора, часто поворачивая и поливая сначала маслом и собственным соком гуся, а когда зарумянится, то холодной водой.

Подавая, обложить на блюде жареным картофелем (его можно изжарить вместе с гусем).

№ 20. Жареная пулярда

На 4 человека: 1 пулярда • 200 г чухонского масла • 1 ч. л. соли • Рубленая зелень петрушки

Очистив, опалив, вымыв, выпотрошив и посолив пулярду, дать ей полежать полчаса.

Положить в кастрюлю чухонское масло, поставить на самый легкий огонь и жарить пулярду, поворачивая, поливая маслом и потряхивая кастрюлю (30—40 минут, подливая, если надобно, еще масла).

Когда пулярда изжарится до готовности, вынуть ее, разнять на части и подать, посыпав рубленой зеленью петрушки.

№ 21. Жареный гусь, начиненный яблоками

На 4 человека: 1 гусь • 1 кочан капусты • 2–3 ст. л. прованского масла • 100 г чухонского масла • 10–15 яблок (смотря по величине) • 1–2 ч. л. сахара • 3–4 ст. л. уксуса

Ощипать, выпотрошить, опалить и вымыть гуся, посолить, дать полежать час.

Затем внутрь птицы положить очищенные яблоки, цельные или нарезанные кружочками либо четвертинками, можно пересыпать их сахаром; зашить разрез. Распустить на противне чухонское масло и изжарить, как сказано в рецепте № 19 этого раздела.

Подавать с шинкованной красной капустой, в которую положить прованское масло, немного сахара и уксус (см. салаты).

№ 22. Жареные цыплята

На 4 человека: 2–3 цыпленка • 100–200 г коровьего масла

Для фарша: 1,5 стакана толченых сухарей • 2–3 ст. л. свежего коровьего масла • 2 яйца • Рубленая зелень петрушки и укропа

Соус на сливках: 1 стакан сливок • 1/4 ч. л. натертого мускатного ореха • Зелень петрушки

Цыплят разрезать, опустить в холодную воду на полчаса, потом в горячую, ощипать, выпотрошить, посолить, нафаршировать следующим образом. Сухари истолочь, смешать со свежим маслом и яйцами, всыпать шесть столовых ложек мелко изрубленной зелени петрушки и укропа.

Распустить в кастрюле 100 граммов масла, положить цыплят, зарумянить со всех сторон. Затем подлить еще 100 граммов масла и жарить цыплят полчаса, часто поворачивая и потряхивая кастрюлю.

Подавая, облить маслом с поджаренными в нем сухарями и посыпать рубленой зеленью петрушки.

Если желают приготовить цыплят под соусом на сливках, то, когда изжарятся цыплята, надобно слить лишнее масло, влить стакан сливок, всыпать мускатный орех и рубленую зелень петрушки, прокипятить и облить цыплят.

▶ Примечание. Можно жарить цыплят и нефаршированными.

№ 23. Жареная утка

На 4 человека: 1 довольно большая утка • 1 1/2 ч. л. соли • 200 г чухонского масла • 1 ч. л. рубленой зелени петрушки

Взять хорошую утку, очистить от перьев, опалить. Чтобы очистить копоть и черноту, нужно натереть утку ржаной мукой, потом выпотрошить, хорошенько вымыть, посолить, дать полежать полчаса.

Положить подготовленную птицу на противень, помазать

маслом, поставить в печь и жарить, переворачивая чаще и обливая сперва маслом, а потом водой и собственным ее соком, до готовности (всего полчаса). Можно также жарить в кастрюле.

Подавая, разнять на части, но сложить опять вместе, облить подливкой, посыпать рубленой зеленью петрушки.

№ 24. Котлеты из мозгов

На 4 человека: Мозги из 2 телячьих голов (или 1 бычьей) • 2 ст. л. уксуса • 100 г белого хлеба • 4 зерна английского перца • 1 лавровый лист • 1/2 ч. л. толченого перца • 2 луковицы • 3 яйца • 4–6 сухарей • 2 ст. л. масла • 1 ч. л. рубленой зелени петрушки • 1 ст. л. соли

Из двух телячьих голов или одной бычьей мозги сварить в соленой воде с уксусом, английским перцем и лавровым листом, откинуть на решето, облить холодной водой.

Протереть сквозь сито, положить три-четыре столовые ложки тертой булки, толченый перец, маленькую мелко изрубленную луковицу, поджаренную в половине столовой ложки масла, прибавить зеленую петрушку, два желтка и одно яйцо, смешать.

Приготовить котлеты, обмакивать каждую в яйцо, посыпать сухарями, класть на раскаленную сковороду в кипящее масло (одну-две столовые ложки). Обжарить с обеих сторон (5—8 минут) и подавать.

№ 25. Сосиски с кислой капустой

600 г сосисок • 1/2 ст. л. русского или чухонского масла

Для соуса: 600 г квашеной капусты • 4 ст. л. русского или чухонского масла • 1 1/2 ст. л. крупитчатой муки • 2 стакана бульона или воды

Сосиски ополоснуть холодной водой, положить на глубокую сковороду, проколоть их в разных местах вилкой, положить половину столовой ложки коровьего масла и жарить на легком огне, поворачивая, чтобы зарумянились со всех сторон. Жарить 10 минут.

Соус из капусты приготовляется следующим образом.

Отжав кислую капусту, положить ее на сковороду, прибавить две столовые ложки коровьего масла и поставить жариться. Между тем приготовить приправку: муку вскипятить в двух столовых ложках коровьего масла, развести двумя стаканами горячей воды или бульона. Капусту сложить в кастрюльку, вылить туда приправку и перемешать; поставить в печь или на плиту и варить, помешивая, до мягкости капусты (30 минут).

Подавая, с одного бока положить капусту, а с другого — сосиски.

№ 26. Телячья печенка, жаренная ломтиками

800 г телячьей печенки • 200 г муки (или 2 яйца и 10 сухарей) • 1–2 ст. л. коровьего масла • 2 ч. л. соли • 2–3 ст. л. бульона • 1/4–1/2 стакана сметаны (по желанию) • 2 ч. л. рубленой зелени петрушки

Положить телячью печенку на полчаса в холодную воду, затем снять с нее кожицу, вырезать жилы, положить на 10 минут опять в воду, потом отжать, разрезать поперек и наискось на ломтики в палец толщиной, посолить и дать полежать 15 минут.

Затем накалить сковороду, распустить на ней коровье масло, обвалять каждый ломтик печенки в муке или в яйце и истолченных сухарях, уложить на сковороду, поставить на огонь, обжарить с одной стороны, повернуть на другую, обжарить и с этой.

Когда прожарятся (жарить минут 10), сложить на блюдо, влить на сковороду несколько ложек бульона (можно прибавить сметаны), дать вскипеть, облить печенку и подать, посыпав рубленой зеленью петрушки.

№ 27. Тушеная телячья печенка

0,8–1 кг телячьей печенки • 100–200 г коровьего масла • 100 г шпика • 2 ч. л. соли • 1 стакан бульона • 3–4 зерна английского перца • 1–2 лавровых листа • 1/2 стакана сметаны • 1 ст. л. рубленой зелени петрушки

Вымочив телячью печенку полчаса в холодной воде, снять кожицу, вырезать жилы, нашпиговать

шпиком, посолить и дать полежать полчаса.

Затем распустить в кастрюле две столовые ложки масла, положить туда печенку, накрыть крышкой, поставить на плиту на легкий огонь или в печь и тушить, потряхивая кастрюлю, прибавляя масло и поворачивая печенку, чтобы она обжарилась со всех сторон.

Через полчаса, когда печенка обжарится со всех сторон, подлить полстакана бульона, положить английский перец, лавровый лист и тушить еще 15 минут, подливая понемногу бульона (всего 1 стакан); прибавить сметану, дать вскипеть.

Нарезать ломтиками печенку, сложить на блюдо, облить процеженным соусом и посыпать рубленой зеленью петрушки.

№ 28. Зразы с гречневой кашей по-польски

800 г мякотной говядины (ссека или огузка) • 3/4 стакана крутой гречневой каши (или 3/4 стакана тертого черного или белого хлеба) • 1 яйцо • 100 г коровьего масла • 1 1/2–2 ч. л. соли • 2 луковицы средней величины • 1/2 ч. л. мелкого перца • 1/2 ст. л. муки • 1/2 стакана бульона • 1/2 стакана сметаны (по желанию) • 1 ст. л. рубленой зелени петрушки

Взять мякотной говядины от ссека или огузка, вымыть, разрезать на продолговатые ломти пальца в три шириной, длиной в полторы ладони и толщиной в палец, выбить хорошенько деревянным молотком или скалкой, посолить, посыпать мелким перцем, положить один на другой и дать полежать 15 минут.

Между тем поджарить мелко накрошенные луковицы в столовой ложке коровьего масла. Когда лук обжарится, сложить туда же гречневую кашу, прибавить еще половину или целую столовую ложку масла, обжарить кашу, снять с огня, остудить, положить мелкий перец, вбить яйцо, хорошенько размешать. Положить две столовые ложки этой каши на середину каждого ломтика говядины, свернуть мясо в трубочку, связать ниткой.

Распустив в кастрюле две столовые ложки масла, положить

туда зразы, накрыть крышкой, поставить на легкий огонь и тушить полчаса, потряхивая кастрюлю и поворачивая зразы, чтобы зарумянились со всех сторон, и прибавляя, если нужно, масла.

Когда изжарятся, вынуть, снять нитки, сложить на блюдо, а в масло всыпать муку, дать вскипеть, влить бульон (можно прибавить сметаны), вскипятить, облить зразы, посыпать рубленой зеленью петрушки и подавать.

Зразы приготовляются также с начинкою из черного или белого хлеба. В таком случае, поджарив искрошенные луковицы, смешать их с тертым черным или белым хлебом. В остальном поступать, как сказано выше.

Раздел IV
Жаркое рыбное

ОБЩИЕ ПРАВИЛА ПРИГОТОВЛЕНИЯ РЫБНОГО ЖАРКОГО

1. О чистке и приготовлении рыбы сказано в «Общих наставлениях» в начале книги.

2. Вычистив, выпотрошив и вымыв рыбу, посолить ее или натереть солью (если рыба не соленая) и дать полежать 10—15 минут.

3. С толстокожих рыб снимается кожа.

4. Рыба жарится или просто так, или же ее нужно обвалять в крупитчатой муке либо в яйце и мелко истолченных сухарях.

5. Если рыба жарится на сковороде, то последнюю нужно раскалить, распустить на ней вдоволь масла, положить рыбу и жарить, поворачивая ее со стороны на сторону, наблюдая, чтобы она не припеклась к сковороде, кипела в масле и зарумянилась со всех сторон. Жаря в печи, нужно чаще поворачивать рыбу, поливать ее маслом или собственным ее соком и наблюдать, чтобы она не пригорала и не пережарилась.

6. Если рыбу желают подать скоромной, то ее нужно изжарить в коровьем масле (русском или чухонском), если же постной — то в прованском, маковом, горчичном, подсолнечном и т. д.

№ 1. Мелкая жареная рыба

1–1,2 кг мелкой рыбы • 100 г крупитчатой муки (или 2 яйца и 10–12 сухарей) • 2 ст. л. коровьего или 4 ст. л. постного масла • $1^1/_2$ ст. л. соли • Зелень петрушки

Взять мелкую рыбу, например окуней, пескарей, сижков, корюш-

ку, язей и пр., очистить, выпотрошить, посолить, дать полежать минут 5, обвалять в муке или яйце и сухарях.

Раскалить сковороду, распустить масло, а когда закипит, положить рыбу, обжарить с одной стороны, повернуть и зарумянить и с этой.

Когда изжарится (всего жарить минут 8), снять на блюдо, облить маслом, в котором жарилась рыба, и подавать. Можно посыпать рубленой зеленью петрушки.

№ 2. Жареная навага

12 штук наваги • Тертый хлеб • 2–3 ст. л. масла постного или коровьего • 1½ ч. л. соли

Выпотрошить навагу, снять (кто желает) кожу, начиная с головы; вымыть, обвалять в тертом хлебе и изжарить в каком угодно постном или коровьем масле, как сказано в предыдущем блюде.

№ 3. Жареный лещ

Лещ (около 800 г) • 2 ст. л. муки • 3–4 ст. л. коровьего или постного масла

Для начинки: 1 стакан крутой гречневой каши • 2–3 луковицы • 2 ст. л. масла

Вычистить, выпотрошить, вымыть леща, обвалять в муке и изжарить в коровьем или постном масле на глубокой сковороде, поворачивая со стороны на сторону, чтобы не пригорел и зарумянился со всех сторон.

Можно начинить леща гречневой кашей с жареным луком (тогда нужно зашить разрез).

Подается с солеными огурцами.

№ 4. Лещ, фаршированный кислою капустой

Лещ (1–1,2 кг) • 3 стакана кислой капусты • 3 ст. л. масла • 2 яйца • 2 луковицы • 8 сухарей • ¼–½ ч. л. толченого перца • Соль по вкусу

Очистить и выпотрошить леща. Поджарить в масле кислую капусту и мелко нарубленный лук, прибавить толченый перец, посолить (если нужно). Нафаршировать этим рыбу, зашить разрез и, обваляв в яйцах и истолченных сухарях,

изжарить в печи, поворачивая с боку на бок и поливая маслом и собственным соком рыбы. Жарить 30 минут.

№ 5. Караси в сметане

12–15 карасей • 200 г муки (или 2 яйца и сухари) • 2 ч. л. соли • 2 ст. л. коровьего масла • 1 стакан сметаны • Зелень петрушки

Вычистить, выпотрошить, вымыть карасей, посолить, обвалять их в муке или яйцах и сухарях, обжарить в коровьем масле, облить сметаной и поставить в вольный дух на 10 минут.

Подавая, посыпать рубленой зеленью петрушки.

№ 6. Караси жареные

12–15 карасей • 200 г муки • 2–3 ст. л. масла • 1/2 стакана муки • 2 ч. л. соли • Зелень петрушки

Карасей очистить от чешуи, выпотрошить, вымыть, посолить, дать полежать полчаса, обвалять в муке и обжарить в масле с обеих сторон.

За несколько минут до подачи облить сметаною, дать ей вскипеть и подать, посыпав рубленой зеленью петрушки.

№ 7. Караси начиненные

10 карасей • 1/2 стакана рыбьей икры • 50 г риса • 50 г вязиги • 100 г масла • Соль по вкусу

Карасей вычистить, выпотрошить и вымыть. Поджарить в масле икру, вынутую из карасей (если же ее нет в карасях, то взять полстакана икры из другой рыбы), смешать с рисом и мелко нарубленною вязигою (то и другое предварительно отварить до мягкости в воде), посолить, прибавить одну-две столовые ложки масла, начинить карасей, зашить и изжарить.

▶ Примечание. Можно также начинить их и гречневой кашей с поджаренным луком.

№ 8. Тушеные пескари с шампиньонами

20 пескарей • 1/4 корня петрушки • 1 луковица • 4–5 шампиньонов

• 2 лавровых листа • 1 ч. л. тмина • 2–3 ст. л. масла • 1 стакан красного вина • 4 зерна английского перца • Зелень укропа или петрушки.

Соскоблить чешую, выпотрошить и вытереть пескарей. Положить на дно кастрюли корень петрушки, лук, тмин, лавровый лист, перец и масло, уложить пескарей сверху и покрыть их слоем тех же приправ. Смочить половиной стакана красного вина, накрыть кастрюлю и кипятить на хорошем огне.

Когда почти не будет соуса, подлить еще полстакана вина, положить шампиньоны, дать постоять на огне еще минут 5.

Вынуть пескарей, сложить на блюдо, облить процеженным соусом, положить туда же шампиньоны, посыпать рубленой зеленью укропа или петрушки.

№ 9. Фаршированная печеная щука

Щука (около 1 кг) • 1 луковица • 1 ч. л. соли • 3–4 сардельки (кто желает) • 1/2 ч. л. мелкого перца • 100 г белого хлеба • 100 г масла • 1 яйцо • 1/4 ч. л. мускатного ореха

Очистить щуку, разрезать вдоль хребта и осторожно отделить мясо и кости, не повреждая кожи. Мясо изрубить мелко с луком, солью и сардельками (кто желает), смешать с тертым хлебом, маслом (одна-две столовые ложки), мелким перцем, натертым мускатным орехом. Все истолочь в ступке и нафаршировать щуку. Разрез зашить и жарить в масле, поливая им рыбу.

▶ Примечание. Если это блюдо подается скоромным, то в начинку можно вбить два яйца.

№ 10. Жареные щуки

2 небольшие щуки • 1,5 л молока • 100 г муки (или 2 яйца и 8 сухарей) • 2–3 ст. л. коровьего или постного масла

Жарят только небольших щук. Снять чешую, выпотрошить рыбу, отрезать плавательные перья, отнять жабры. Помочить щук немного в молоке, посолить, обвалять в муке или яйце и сухарях и изжарить

на сковороде в коровьем или постном масле.

№ 11. Тушеная щука

Щука (около 1 кг) • 3 ст. л. масла • 1 ст. л. муки • 1 стакан белого вина или рыбного бульона • 1–2 гвоздики • 5–8 маленьких луковиц • 6–8 шампиньонов • 8 зерен перца • 2 лавровых листа • 1/2 лимона (или 1 ст. л. уксуса) • 1 ст. л. каперсов • Белый хлеб на гренки

Поджарить ложку муки в двух-трех столовых ложках масла, положить гвоздику, горсть полусваренных маленьких луковиц, лавровый лист, перец, соль. Разрезать щуку на куски и положить в кастрюлю, тушить потихоньку на умеренном огне, подливая, если нужно, масла, пока не обжарится.

Тогда вынуть приправы и прибавить стакан рыбного бульона или белого вина, шампиньоны, сок из половинки лимона (или 1 столовую ложку уксуса) и ложку каперсов, накрыть крышкой и тушить еще минут 15, до готовности.

Выложить рыбу на блюдо, обложить ее обжаренными ломтями хлеба, облить процеженным соусом и положить в него шампиньоны.

№ 12. Карп фаршированный

Карп (около 1 кг) • 10–15 шампиньонов • 1 ст. ложка зелени петрушки • 1 луковица • 200 г хлебного мякиша • 100 г масла • 2 ч. л. соли • Лимон • 1/4 ч. л. толченого перца • 1 яйцо (для скоромного блюда)

Ошпарить шампиньоны и изрубить их, измельчить петрушку и лук, обжарить все в масле и смешать с хлебным мякишем (намоченным предварительно в воде и отжатым), рублеными анчоусами, солью и перцем (если карп готовится скоромным, то вбить яйцо).

Положить этот фарш в вычищенного карпа, зашить, посолить, дать полежать 15 минут, завернуть рыбу в лист масляной бумаги и изжарить на противне в печи. Можно также изжарить просто в масле, не завертывая в бумагу.

Перед подачей обрызгать лимонным соком.

№ 13. Тушеная треска

1 кг трески • 2–3 ст. л. коровьего масла • 2 луковицы • 1 лавровый лист • 4 зерна английского перца • 4–5 ст. л. масла • 1 ст. лимонного сока • 2 ч. л. соли

Мочить треску в холодной воде 24 часа. Вскипятить несколько раз в соленой воде, снять мясо с костей. Распустить в кастрюле масло, сложить туда рыбу и искрошенные луковицы, лавровый лист, зерна английского перца и держать на умеренном огне 15 минут, подливая масло.

Когда все поспеет, влить лимонный сок.

№ 14. Жареная селедка

2 крупные астраханские селедки • 1 луковица • 200 г белого хлеба • 1–2 ст. л. коровьего масла • 1 ст. л. муки • 5 сухарей • 2–3 ст. л. масла для жаренья

Вымочив сельдей, снять с них кожу, вынуть кости и мелко изрубить мякоть с луковицей. Если есть молоки, то их также изрубить. Прибавить мякиш белого хлеба, коровье масло, ложку муки, смешать хорошенько, придать массе форму селедки, посыпать сухарями и поджарить.

№ 15. Селедка с картофелем

2–3 селедки • 5–10 штук картофеля • 2–3 ст. л. масла • 3–4 ст. л. муки • Квас для вымачивания • 2–3 ст. л. рыбного бульона

Вымочить селедку в квасе, снять кожу. Выпотрошить рыбу, распластать, вынуть кости, нарезать мякоть кусками (можно готовить и цельную, обваляв ее в муке). Положить селедку на сковороду вместе с очищенным и нарезанным ломтями картофелем, влить масло и изжарить, поворачивая рыбу и картофель.

Когда будет готово, влить пару ложек рыбного бульона и подержать еще минуты три на огне.

№ 16. Жареный линь

1–2 линя (около 800 г) • 100 г масла • 2 ч. л. соли

Для соуса: 3–4 анчоуса • 1 ст. л. каперсов • 5–6 шампиньонов • 1 стакан говяжьего бульона • 1/2 лимона

Вскипятить воду и опустить туда на одну минуту линя. Вынуть, снять чешую, начиная с головы и стараясь не разорвать кожу или не сдернуть ее. Выпотрошить, вымыть, обрезать плавники, разрезать вдоль спины, вынуть кости.

Посыпать мякоть солью, потом обвалять в муке, опустить в кипящее масло на сковороду и жарить 10 минут, поворачивая со стороны на сторону, чтобы линь хорошо зарумянился.

Когда будет готов, подать на блюде, покрыв салфеткой. Можно также облить его соусом из мелко нарубленных анчоусов, шампиньонов и каперсов, которые отварить в говяжьем бульоне и прибавить лимонного сока.

№ 17. Свежая осетрина, жареная и залитая яйцами

0,8–1 кг свежей осетрины • 200 г коровьего масла • 3–4 ст. л. муки • 1 1/2 ч. л. соли • 5 яиц • 1 ст. л. рубленой зелени петрушки

Вычистив и вымыв осетрину, нарезать ее ломтями, посолить, дать постоять немного, обвалять в муке и изжарить на сковороде в масле, которого должно быть столько, чтобы оно покрывало куски.

Когда почти поспеет, смешать пяток сырых яиц с достаточным количеством молока, залить этим куски, посыпать рубленой зеленью петрушки и поставить в печь, чтобы запеклось.

№ 18. Осетрина под соусом

800 г осетрины • 3 ст. л. масла • 1 морковь • 2 головки лука • 1 корень петрушки • 1 ст. л. муки • 1/2 стакана вина • 1 ст. л. уксуса • 1 ч. л. сухой горчицы • 1 ст. л. рубленой зелени петрушки • Рыбный бульон

Смазать сковороду маслом, положить слой кореньев, а на них осетрину. Поджарить в двух столовых ложках масла искрошенную луковицу, всыпать ложку муки, развести рыбным бульо-

ном, чтобы было довольно густо, облить этим рыбу и поставить в печь.

Когда осетрина поспеет, переложить ее на блюдо, а коренья смешать с вином, бульоном (полстакана), уксусом и горчицей. Вскипятить, процедить соус, облить осетрину и посыпать ее рубленой зеленью петрушки.

№ 19. Осетрина по-провансальски

До 1 кг свежей осетрины • 2 анчоуса • До 200 г прованского масла • 1 корень петрушки • 2 ч. л. соли • 3 зерна английского перца • 1 лавровый лист

Нарезать свежую осетрину ломтями, нашпиговать анчоусами, обжарить в кастрюле в двух-трех столовых ложках масла с петрушкой, солью и перцем; прибавить лавровый лист, закрыть крышкой и жарить на самом умеренном огне, поворачивая, потряхивая кастрюлю и поливая маслом.

Подавая, облить маслом, в котором жарилась осетрина, вынув перец и лавровый лист.

№ 20. Жареная лососина

800 г лососины • 3 ст. л. масла • 1/2 стакана пива (или 2 яйца) • 6 сухарей

Рыбу очистить от чешуи, вымыть, нарезать тонкими ломтиками, посолить, дать полежать 15 минут, намочить в пиве (или яйце) и обвалять в сухарях. Распустить на сковороде масло, положить лососину, зарумянить с одной стороны, повернуть на другую, зарумянить и с этой. Всего жарить 5—10 минут.

№ 21. Форель по-венециански

Одна или несколько форелей (всего весом 1 кг) • 2 яйца • 6–8 сухарей • 1 ст. л. муки • 100 г прованского масла • 100 г коровьего масла • 2 ч. л. соли

Очистить, выпотрошить форелей, надрезать спинки и вложить внутрь две столовые ложки коровьего масла, стертого с мукой; положить на полчаса в прованское масло, обвалять в яйце и сухарях. Раскалить сковороду, распустить одну-две столовые ложки масла, положить рыбу и изжарить,

поворачивая со стороны на сторону и поливая маслом.

Подавать с каким угодно соусом, в который опустить несколько ломтей лимона.

№ 22. Семга под соусом

800 г семги • 200 г прованского масла • 1 корень петрушки • 1 луковица • 2 ч. л. соли • 5 зерен английского перца

Для соуса: 1 ст. л. муки • Масло, которое останется от жаренья • 2–3 ст. л. каперсов • ½ ч. л. соли • 1 стакан рыбного бульона (или кипятка)

Нарезать семгу ломтями, положить на два часа в маринад из прованского масла, корня петрушки, лука, соли и перца. Потом вынуть, положить на сковороду, подлить две-три столовые ложки масла и изжарить, поворачивая со стороны на сторону, чтобы рыба хорошенько зарумянилась. Подавать с соусом из каперсов.

Соус приготовляется так: положить в кастрюлю масло, добавить муку и поджарить ее слегка; влить, быстро размешивая, стакан рыбного бульона или кипятка, снять с огня, прибавить каперсы и подавать.

№ 23. Лососина в папильотках

800 г лососины • 100 г прованского масла • 2 ч. л. соли • 1 луковица • ½ ч. л. мелкого перца

Лососину очистить от чешуи, нарезать тонкими ломтиками, посолить, посыпать мелким перцем (кто любит), мелко изрубленным луком, помазав сперва каждый ломтик прованским маслом, и оставить на несколько часов. Завернуть потом каждый ломтик в бумагу, пропитанную маслом, и поставить в печь, в которой держать, пока бумага не зарумянится и рыба не пропечется до готовности.

Подавать, не развертывая бумагу.

№ 24. Угорь жареный под соусом

Угорь (около 1 кг) • 2–3 ст. л. масла • 1 луковица • 2 ч. л. соли • 3–5 зерен английского перца

• 1/2 лимона • 1 ст. л. муки

• 1 стакан бульона

Снять с угря кожу, начав с головы. Вымыть, выпотрошить рыбу, посолить, вытереть и изжарить на сковороде на плите или на противне в печи в двух-трех столовых ложках масла.

Соус к нему следующий: поджарить в масле муку и луковицу, развести стаканом бульона, прибавить несколько зерен перца и кружков лимона, вскипятить, опустить в этот соус угря, еще раз вскипятить и подавать.

№ 25. Стерлядь с шампиньонами

Стерлядь (около 1 кг) • 100 г масла

• 6–8 шампиньонов • Рыбный бульон

• 1/2 лимона • 3–4 анчоуса • 2 ч. л. соли

• 1 ст. л. зелени петрушки

Стерлядь вычистить, вымыть, посолить, заправить, вымазать маслом и дать вылежаться. Положить рыбу на противень с двумя-тремя столовыми ложками масла, поставить в печь и жарить полчаса, поливая маслом и собственным ее соком и поворачивая со стороны на сторону.

Для соуса: очистить шампиньоны, положить в кастрюлю вместе с ломтями лимона, изрубленными и снятыми с костей анчоусами, солью, залить рыбным бульоном и варить. Положить стерлядь на блюдо, облить соусом и посыпать зеленью петрушки.

№ 26. Фаршированный угорь

Угорь (около 1 кг) • 100 г белого хлеба • 1 луковица • 1/2 корня петрушки

• 1/4 ч. л. мелкого перца • 2–3 трюфеля

• 2 ч. л. соли • 5 сухарей • 100 г масла

• Бульон

Снять кожу с угря, вырезать мясо с костей; мясо истолочь в ступке. Луковицу и корень петрушки изрубить и поджарить в масле. Добавить их к мясу, прибавить мякиш белого хлеба, соль, перец, изрубленные трюфели, влить пару ложек бульона, размешать, начинить этим кожу и придать форму угря, посыпать сухарями.

Распустить на противне две-три столовые ложки масла и жарить угря до готовности (30 минут), поворачивая и поливая маслом и соком от рыбы.

№ 27. Котлеты из рыбы

1,2 кг рыбы • 1 луковица • 100 г белого хлеба • 6 сухарей • 3–4 ст. л. масла • 1 яйцо (для скоромных котлет)

Очистив какую угодно рыбу, снять мясо с костей, посолить. Поджарить в масле мелко изрубленную луковицу, остудить, смешать с изрубленной рыбой, прибавить белого хлеба, мелко изрубить ножом или сечкой в деревянной чашке, истолочь в ступке, наделать котлет и, обваляв их в сухарях, жарить на сковороде в масле, поворачивая с боку на бок.

Если котлеты приготовляются скоромные, то в них можно вбить яйцо.

№ 28. Котлеты из судака

1,2 кг судака • 3 ст. л. масла • 3–4 ст. л. муки • 1 ч. л. соли • 6 сухарей • 1/4 ч. л. мелкого перца

Снять мясо с костей и мелко его изрубить, прибавить масло, две столовые ложки муки и перец, истолочь все в ступке. Сделать из массы котлеты. Раскалить сковороду, положить масло и изжарить котлеты, обваляв их муке или сухарях (см. рецепт № 27).

№ 29. Осетровые котлеты в папильотках

800 г осетрины • 1/2 ч. л. мелкого перца • 100 г масла • 1 1/2 ч. л. соли

Очистить, вымыть, нарезать осетрину ломтями в виде котлет, посолить, посыпать перцем, окропить маслом, завернуть в бумажки, пропитанные маслом, и жарить в печи, поливая маслом.

Раздел V
Салаты

№ 1. Салат латук

200 г латука • 4 ст. л. уксуса • 3 ст. л. прованского масла • 1 ч. л. горчицы • 1 ч. л. сахара • 1/4 ч. л. соли

Латук перебрать, вымыть в холодной воде, отжать, нарезать. Смешать горчицу с уксусом, прибавить масло, сахар и соль. Этой смесью облить салат, перемешать хорошенько и подавать.

▶ Примечание. Можно также сперва растереть желток сваренного вкрутую яйца, смешать с описанной подливой, облить салат и украсить мелко нарезанным крутым белком.

№ 2. Огурцы свежие

4–6 свежих огурцов • 3 ст. л. уксуса • 2 ст. л. прованского масла • 1/2 ч. л. мелкого перца • 1/2 ч. л. соли

Очистить и нарезать кружками свежие огурцы. Смешать прованское масло, уксус, соль и толченый перец и этой смесью облить огурцы.

№ 3. Кочанный салат

200 г кочанного салата • 3 ст. л. сметаны • 3 ст. л. уксуса • 1 ч. л. сахара • 1 яичный желток • 1/2 ч. л. соли

С салата снять верхние листья, вымыть, отжать, перебрать, отбросить стебельки, нарезать. Облить следующей смесью: сметану смешать с уксусом, сахаром, солью и растертым яичным желтком. Или вместо этого облить салат такой же смесью, какая приготовляется для латука в рецепте № 1.

№ 4. Капуста

1/2 небольшого кочана капусты • 1/2 ч. л. соли

Для заправки: 5 ст. л. уксуса • 3 ст. л. прованского масла • 1 ч. л. горчицы • 1/2 ч. л. соли • 2–3 ч. л. сахара

Утром свежую белую или красную капусту вымыть, нашинковать, хорошенько посолить, обдать кипятком и оставить так до обеда. За час до обеда отжать, сполоснуть водой, потом облить следующей смесью: уксус, прованское масло, горчицу, сахар и соль смешать и взбить.

№ 5. Салат из кислой капусты

600 г отжатой шинкованной кислой капусты • 4 ст. л. уксуса • 2–3 ч. л. сахара

Отжатую шинкованную кислую капусту облить уксусом, всыпать сахар, хорошенько размешать и подавать.

№ 6. Маринованная свекла

5–8 штук свеклы • 1 корень хрена • До 2 стаканов уксуса • 2 ч. л. тмина

Утром отварить свеклу в воде, очистить и нашинковать. Натереть хрен. Положить в банку слой хрена, слой свеклы, слой хрена, посыпать толченым тмином. Класть слоями до тех пор, пока банка не будет полной, залить вскипяченным уксусом. К обеду выложить на блюдо и украсить хреном.

№ 7. Цикорий

400 г цикория • 4 ст. л. прованского масла • 5 ст. л. уксуса • 1 ч. л. соли • 1/2 ч. л. мелкого перца (кто желает)

Оставить только желтые листья цикория, промыть и облить прованским маслом, смешанным с уксусом и солью. Можно посыпать перцем.

№ 8. Картофель в виде салата

До 20 штук картофеля • 2 ст. л. маринованных огурчиков • 1 вареная свекла • 1 ст. л. каперсов • 3 ст. л. прованского масла • 5 ст. л. уксуса • 1/2 ч. л. мелкого перца • 1/2 ч. л. соли • 1 ст. л. рубленой зелени петрушки (кто желает)

Отварить в соленой воде очищенный картофель, нарезать его

ломтиками, уложить на блюдо, украсить маринованными огурчиками, вареной свеклой, каперсами. Смешать прованское масло с уксусом, перцем, солью, и этой смесью облить приготовленный картофель. Можно облить этой смесью и один картофель, посыпав его рубленой зеленью петрушки.

№ 9. Сборный салат

100 г латука • 100 г цикория • 100 г кочанного салата • 1 ст. л. маринованных огурчиков • 2 свежих огурца • 1 ст. л. каперсов • 1 ст. л. оливок • 1 яичный желток • 1 ч. л. горчицы • 1 ч. л. прованского масла • 2 ч. л. сахара • 1/2 ч. л. мелкого перца • 5 ст. л. уксуса • 1 ч. л. соли

Взять поровну латука, цикория, кочанного салата, вымыть, отжать, сложить на блюдо. Украсить очищенными и нарезанными кружочками свежими огурцами, маринованными огурчиками, каперсами, оливками и облить следующей смесью: растереть вместе яичный желток, горчицу, соль, сахар, прованское масло и уксус.

▶ Примечание. Можно, кроме того, украсить отваренными и очищенными раковыми шейками (20 штук), маринованными вишнями, пикулями и прочим.

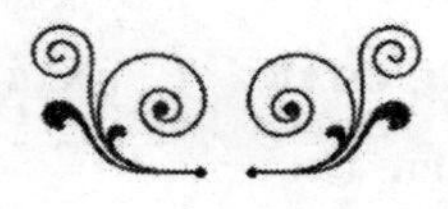

Раздел VI
Вареное мясо

№ 1. Соус из говядины

800 г говядины • 2 яйца • 3–4 сухаря • 1 ст. л. коровьего или чухонского масла • 1 ч. л. соли

Для соуса: 1 ст. л. крупитчатой муки • 2 стакана бульона • 2 ст. л. уксуса • 1 лавровый лист • 1 луковица • 1 ст. л. коровьего масла

Изрубить мелко говядину, как для котлет, положить яйца, соль и немного перца, сделать небольшие лепешечки, обвалять их в толченых сухарях и обжарить в коровьем масле.

К этим лепешечкам приготовляется следующий соус. Взять ложку муки, поджарить докрасна в масле, развести бульоном, прибавить уксус, лавровый лист, нарезанную ломтиками и поджаренную в масле луковицу и вскипятить раза два. За четверть часа перед подачей на стол приготовленные говяжьи лепешки надо опустить в соус и варить недолго на легком огне.

№ 2. Говядина под соусом

2–3 луковицы • 2 ст. л. масла • 1 ст. л. муки • 800 г вареной говядины • 1 стакан бульона • $^1/_2$ стакана белого вина (кто желает) • 1 ч. л. соли • $^1/_2$ ч. л. мелкого перца • $^1/_4$ ч. л. натертого мускатного ореха • 2 ст. л. уксуса • Горчица

Разрезать луковицы на ломти и хорошенько поджарить их в масле, прибавить щепотку муки, размешать и дать зарумяниться; потом влить бульон и белое вино, приправить солью, перцем и мускатным орехом, кипятить, чтобы поспели луковицы и сгустился соус. Потом положить туда тонкие ломти вареной говядины и варить на легком огне 15 минут.

Подавать, приправив уксусом и горчицей.

№ 3. Соус из говядины

800 г вареной говядины • 2 яйца • 3–4 сухаря • 1 ст. л. коровьего или чухонского масла • 1 ч. л. соли • 1/2 ч. л. мелкого перца

Для соуса: 1 ст. л. крупитчатой муки • 2 стакана бульона • 2 ст. л. уксуса • 1 лавровый лист • 1 луковица • 3 ст. л. коровьего или чухонского масла

Изрубить вареную говядину как для котлет, положить яйца, соль и мелкий перец, вымешать, сделать небольшие лепешки (кто как желает — круглые или продолговатые), обвалять их в толченых сухарях и обжарить в коровьем или чухонском масле.

К этим лепешечкам приготовляется следующий соус. Ложку муки поджарить докрасна в двух столовых ложках масла, развести бульоном, прибавить укус, лавровый лист, нарезанную ломтиками и поджаренную в масле луковицу и все это вскипятить два раза. Перед подачей на стол приготовленные мясные лепешки надо опустить в соус и поварить на легком огне 10 минут.

№ 4. Говяжий соус с рисом и сыром

800 г вареной говядины • 200 г риса • 100 г ветчины • 1/2 ч. л. натертого мускатного ореха • 4 ст. л. масла • 2 яйца • 50 г пармезана • 1 стакан крепкого бульона

Для соуса: 1 ст. л. муки • 1 ст. л. масла • 1 стакан крепкого бульона • 1 ст. л. каперсов • 2 луковицы • 1 лимон

Рис хорошенько вымыть, положить в кастрюлю, прибавить мелко изрубленную ветчину, мускатный орех, подлить стакан крепкого жирного бульона, положить столовую ложку масла и сварить густую кашу.

Дав каше остыть, прибавить в нее яйца, хорошенько размешать и обложить вареную говядину, нарезанную ломтями и сложенную на блюде, слоем толщиной в палец. Пармезан натереть и обсыпать им говядину. Наконец, облить тремя столовыми ложками масла, поставить в печь и дать хорошенько зарумяниться.

Между тем приготовить соус: поджарить муку в масле, прибавить стакан бульона, каперсы, две рубленые луковицы и сок из лимона. Прокипятить хорошенько и подать в соуснике к говядине.

№ 5. Соус из рубца

1 телячий рубец • 200 г шпика • 1–2 луковицы • 1 морковь • 5–6 зерен перца • 1 зубчик чеснока • 1 лавровый лист • 1 корень петрушки • Соль по вкусу

Для соуса: 2–3 ст. л. чухонского масла • 1 ст. л. муки • 2 стакана бульона • 1/2 белого вина • Щепотка тмина • 1 лавровый лист • 12 маринованных шалотов • 10–15 шампиньонов • 2 яичных желтка • 1 ст. л. лимонного сока • 1/4 ч. л. мелкого перца • Щепотка соли • 1/2 стакана сметаны (по желанию)

Обдать кипятком рубец, выскоблить его хорошенько, положить снова в кипяток, опять вычистить, положить еще раз в кипяток и дать постоять. Потом варить со шпиком, луком, морковью, лавровым листом, петрушкой, чесноком, солью и зернами перца в достаточном количестве воды.

Кипятить потихоньку в течение 4 часов, а когда рубец будет готов, выложить его на блюдо, разрезав на куски, и облить следующим соусом.

Положить в кастрюлю чухонское масло и муку, поджарить, подлить бульон и белое вино, прибавить немного тмина, лавровый лист, соль, перец, дюжину маринованных шалотов и обжаренные в масле шампиньоны. Когда нужно подавать на стол, подболтать двумя яичными желтками и прибавить столовую ложку лимонного сока. Можно прибавить полстакана сметаны.

№ 6. Гаше из говядины

2 луковицы • 2 ст. л. коровьего масла • 1 ст. л. муки • 1 стакан бульона • 1/4 стакана белого вина • 800 г вареной говядины • 1 ст. л. горчицы • Соль и мелкий перец по вкусу

Изрубить как можно мельче луковицы и поджарить в коровьем масле. Прибавить ложку муки и, держа на огне, мешать до тех пор, пока мука не примет золоти-

стый цвет. Подлить бульон и белое вино, добавить соль и перец, варить, пока не поспеет. Положить в соус рубленую вареную говядину, подержать еще на огне и, влив ложку горчицы, подавать гаше.

№ 7. Соус из почек

800 г почек • 3–4 ст. л. масла • 1–2 ст. л. муки • 2 луковицы • 2 ч. л. соли • 3 зерна перца • 2 лавровых листа • 2–3 ст. л. уксуса • 1 стакан сметаны (кто желает) • 1 ст. л. рубленой зелени петрушки

Вымыть почки, нарезать их кусками, положить в горшок или кастрюлю, налить четыре стакана холодной воды, посолить и варить три часа, снимая накипь. Когда почки совсем почти поспеют, вынуть их, бульон процедить и дать ему вскипеть, а почки поджарить с крошенным луком в двух столовых ложках масла.

Между тем распустить в кастрюле две столовые ложки масла, поджарить в нем муку и налить кипящего почечного бульона, хорошенько размешивая при этом.

Затем положить поджаренные почки, лавровые листья, горошины перца и уксус по вкусу. Дать вскипеть и подавать на стол. Можно влить стакан сметаны. Посыпать рубленой зеленью петрушки.

№ 8. Телячья лопатка по-мещански

1,2 кг телячьей лопатки • 2 ст. л. уксуса • 3–4 зерна английского перца • 1 корень петрушки • 1 морковь • 1 ч. л. соли • 2 луковицы • 1 лавровый лист • 1 гвоздика • 2–3 ст. л. коровьего масла • 1 ст. л. рубленой зелени петрушки

Телячью лопатку очистить и обмыть, положить в кастрюлю. Налить три стакана воды, добавить уксус, английский перец, соль, нарезанные ломтиками корень петрушки и морковь, накрошенные луковицы, лавровый лист, гвоздику и коровье масло. Накрыть кастрюлю крышкой, края обмазать тестом и поставить в печь часа на три или больше.

Когда все поспеет, лопатку выложить на блюдо, а соус (сняв с него прежде жир) процедить

на лопатку через сито. Посыпать рубленой зеленью петрушки.

№ 9. Фрикасе из телятины

1,2–1,6 кг передней части телятины • 1 корень петрушки • 2 луковицы • 3 зерна английского перца • 1 ч. л. соли • 200 г коровьего масла • 2 ст. л. зелени петрушки • 1–2 зубчика чеснока • 2–3 яичных желтка • 2 ст. л. лимонного сока • 1 стакан сметаны

Телятину разбить на небольшие куски, положить в кастрюлю, налить шесть стаканов холодной воды, посолить и поставить на горячую плиту. Когда вскипит, вынуть телятину из кастрюли и положить в холодную воду, чтобы остыла. Снять мясо с костей и опять положить в бульон, поставить на плиту, дать кипеть и снимать беспрестанно пену.

Между тем прибавить в бульон накрошенный корень петрушки, мелко нарезанные луковицы, зерна английского перца, соль, две столовые ложки коровьего масла, ложку рубленой зелени петрушки, чеснок и все это варить два часа.

Затем вынуть телятину, соус процедить, поставить опять на огонь, положить телятину, подлить в соус лимонный сок, растертые яичные желтки, прибавить столовую ложку масла и стакан сметаны, подогреть, не давая кипеть, и подавать, посыпав рубленой зеленью петрушки.

№ 10. Телячьи ножки

4 телячьи ножки (по одной на каждую персону) • 2–3 яйца • 6–8 сухарей • 100 г коровьего масла • 1 ст. л. муки • 1–2 ст. л. сахара • 1 кусок сахара • 1 лимон • 100 г кишмиша (кто желает) • Соль

Телячьи ножки ошпарить, снять с них как можно чище волоски. Ножки хорошенько вымыть, отварить до мягкости в соленой воде, вынуть кости, вымыть еще раз, обвалять в яйцах и сухарях и изжарить на легком огне.

Между тем вскипятить в кастрюле две столовые ложки масла, поджарить муку, развести двумя стаканами бульона от телячьих ножек, положить туда один кусок жженого сахара, сок из лимона, мелкий сахар и, кто

желает, перебранный и перемытый в нескольких водах кишмиш. Дать два раза вскипеть и облить соусом ножки.

№ 11. Баранина под соусом с вином

0,8–1,2 кг баранины • 1 луковица • 2 ч. л. соли • 1 ст. л. масла • 1 лавровый лист • 3 зерна английского перца • 2 ст. л. лимонного сока • 1/2 стакана вина • 2–3 ст. л. сахара • 2 яичных желтка • 1 ст. л. рубленой зелени петрушки

Кусок баранины вымыть, нарезать, сложить в кастрюлю, налить четыре стакана воды, посолить, положить лук, перец и лавровый лист, дать кипеть часа два, вынуть, обдать холодной водой и опять положить в процеженный уже бульон. Варить, пока баранина не сделается мягкой.

Между тем поджарить столовую ложку муки в таком же количестве масла, развести процеженным бульоном, прибавить лимонный сок, положить баранину, вскипятить, прибавить вино, сахар и перед подачей — яичные желтки. Подавая, посыпать рубленой зеленью петрушки.

№ 12. Рагу из баранины

800 г бараньей лопатки • 2 ст. л. масла • 3 репы • 1 ст. л. муки • 3 стакана крепкого бульона • 2–3 зерна перца • 1 ч. л. соли • 1 гвоздика • 2 луковицы • 1–2 лавровых листа • 1 ст. л. рубленой зелени петрушки • По желанию: 2 моркови, 8–10 штук картофеля

Вымыть и разрезать на куски баранью лопатку, поджарить на сильном огне в кастрюле с маслом. Когда мясо зарумянится, снять с огня и слить жидкость.

Разрезать репу на маленькие палочки и обжарить в жире от баранины.

Поджарить в кастрюле ложку муки в масле, развести хорошим бульоном, сделать соус, положить в него куски баранины, прибавить перец, гвоздику, лук, лавровый лист, накрошенный лук и репу.

Когда баранина почти поспеет, снять жир и дать ей потихоньку дойти. Если соус жидкий, то уварить

часть его до приличной степени. Потом уложить рагу на блюдо, покрыть репой и подавать.

Приготовляют рагу также с морковью или картофелем вместо репы или со всеми тремя видами овощей вместе.

Посыпать рубленой зеленью петрушки.

№ 13. Фрикасе из баранины

0,8–1 кг бараньей грудинки • 3 ст. л. коровьего масла • 1/2 корня петрушки • Корки с 1/4 лимона • 1 ст. л. муки • 5 сморчков • 3 шампиньона • 1/8 ч. л. натертого мускатного ореха • 2 ст. л. лимонного сока • 2 ст. л. сахара • 1 ч. л. соли • 1 ст. л. рубленой зелени петрушки

Разрубить баранью грудинку на мелкие куски, перемыть их, положить в кастрюлю, налить четыре стакана холодной воды и дать кипеть, снимая пену. Потом добавить столовую ложку коровьего масла, накрошенный корень петрушки, мелко нарезанные лимонные корки и продолжать кипятить.

Затем поджарить ложку муки в двух ложках масла, развести процеженным бульоном от баранины, добавить очищенные и перемытые сморчки, шампиньоны, натертый мускатный орех и все это хорошенько прокипятить.

Когда же фрикасе будет готово, подлить в него лимонный сок, подсыпать сахар и подавать на стол, посыпав рубленой зеленью петрушки.

№ 14. Соус из мозгов

2 штуки мозгов • 1 луковица • 1 морковь • 1 корень петрушки • 1–2 лавровых листа • 3 зерна английского перца • 2 ст. л. уксуса • 1/2 ч. л. соли • 1 ст. л. рубленой зелени петрушки

Для соуса: 1 луковица • 2 ст. л. коровьего масла • 1 ст. л. муки • 7–10 шампиньонов

Мозги, очищенные от перепонки и запекшейся крови, положить на несколько часов в теплую воду, а потом в кастрюлю. Влить два стакана воды, положить луковицу, нарезанную ломтями, морковь, корень петрушки, лавровый лист, горошины перца, уксус, соль и варить минут пять.

Затем распустить в другой кастрюле коровье масло, поджа-

рить в нем искрошенную луковицу, прибавить ложку муки, дать вскипеть. Влить жидкость, в которой готовились мозги, процедив ее сперва сквозь сито. Прибавить несколько шампиньонов и варить 10 минут.

Когда соус поспеет, положить мозги, разрезанные на куски, вскипятить, посыпать зеленью петрушки и подавать.

№ 15. Телячье легкое под соусом

1 телячье легкое • 100 г коровьего масла • 1–2 ст. л. муки • 3 зерна английского перца • 2 яичных желтка • 2 ст. л. лимонного сока • 1 ч. л. соли • 1/2 корня петрушки • 1/2 моркови • 2 луковицы • 1–2 лавровых листа • 5–6 шалотов • 1/2 ч. л. мелкого перца • 1 стакан сметаны (кто желает)

Нарезать кусками телячье легкое, вымыть его в нескольких водах, выжимая всякий раз; помочить его еще в холодной воде и обдать кипятком. Затем залить четырьмя-пятью стаканами воды, посолить, положить зерна перца, половину корня петрушки, полморкови, луковицы и варить два часа. После этого вынуть, положить в холодную воду и откинуть на решето.

Распустить в кастрюле коровье масло, положить туда легкое и обжарить, посыпав мукой, помешивая и постепенно подливая процеженный бульон; варить на легком огне, постоянно размешивая соус.

Через 45 минут прибавить шалоты, подболтать яичными желтками, влить лимонный сок, всыпать мелкий перец и подавать. Если соус жидковат, то отлить половину, а другую уварить до надлежащей густоты. Можно добавить сметану.

№ 16. Рагу из ветчины и телятины с жареным картофелем

200 г коровьего масла • 1 ст. л. муки • 400 г телятины • 4–5 шампиньонов • Зелень петрушки • 6–10 штук вареного картофеля • 1 яйцо • 4 яичных желтка • 200 г ветчины • 2 стакана бульона

Растопить 100 граммов масла, положить в него ложку муки, дать вскипеть, но только чтобы

масло не зарумянилось, потом добавить мелко нарезанную телятину, жареные шампиньоны, зелень петрушки, цветную капусту и поджарить. Затем развести бульоном, вскипятить.

Потом очистить вареный картофель, истереть на терке. Две столовые ложки масла растереть добела, прибавить в него одно целое яйцо и два желтка, смешать с картофелем, сделать из этого маленькие лепешки, обвалять в яйцах и сухарях, изжарить в двух столовых ложках масла.

Рагу приправить двумя желтками, положить на блюдо, обсыпать мелко искрошенной ветчиной, обложить картофельными лепешечками и посыпать рубленой зеленью петрушки.

№ 17. Курица с рисом

1 курица • 200 г риса • 100 г чухонского масла • 5–6 сухарей • 2 яйца • 2 ч. л. соли • 1 ст. л. рубленой зелени петрушки

Отварить курицу, как сказано в разделе I, рецепте № 9. В полученном бульоне сварить рис. Когда хорошо разварится, положить пару столовых ложек чухонского масла, смотря по количеству риса. Разнять курицу, облить яйцами, обсыпать сухарями и зарумянить.

Подавая на стол, сперва рис выложить на блюдо, а потом обложить курицей, посыпать рубленой зеленью петрушки и натертым мускатным орехом.

№ 18. Фрикасе из курицы

1 курица • 200 г коровьего масла • 2 ст. л. муки • 1/4 ч. л. мелкого перца • 1/2 ч. л. натертого мускатного ореха • 5 шампиньонов • 2 стакана мясного бульона • 1 стакан сливок или сметаны • 1 ст. л. корнишонов • 1 ст. л. мелких луковиц • Несколько артишоков • 2 яичных желтка • Сок из 1 лимона • 1 ст. л. рубленой зелени петрушки

Курицу разнять на части и вымочить в горячей воде. Между тем растопить в кастрюле коровье масло, вложить туда курицу, а когда масло совсем растопится, прибавить к нему муку и перемешать хорошенько.

Когда курица обжарится, влить туда мясной бульон и приправить перцем и натертым мускатным

орешком. Когда же курица наполовину сварится, добавить туда же очищенные шампиньоны, мелкие луковицы, корнишоны, донышки от артишоков и т. п., влить стакан сметаны или сливок и варить курицу до готовности.

Наконец, выложить готовое фрикасе на блюдо, снять с соуса жир, подбить его яичными желтками с лимонным соком и облить им фрикасе. Посыпать рубленой зеленью петрушки.

№ 19. Цыплята под белым соусом

2 цыпленка • 200 г коровьего масла • $1^1/_2$ ч. ложки соли • 1. ст. л. зелени петрушки

Для соуса: 2–3 ст. л. масла • 1–2 ст. л. муки • $^1/_2$ ч. л. натертого мускатного ореха • 1 лимон • 2 ст. л. сахара • 1 стакан сметаны или сливок

Вымыть двух цыплят, обжарить их в масле, разбить на части, залить двумя стаканами воды, посолить и варить час.

Между тем растопить в кастрюле масло и положить в него пару ложек муки. Когда мука покраснеет, влить горячий бульон от цыплят, сливки или сметану и постоянно мешать, пока не образуется белая однородная масса.

Тогда добавить сок из лимона, мускатный орех и сахар, дать увариться до готовности, положить цыплят, дать вскипеть и подать, посыпав зеленой петрушкой.

№ 20. Соус из цыплят

2 цыпленка • 130 г коровьего масла • $^1/_2$ ч. л. соли • 1 горсть шампиньонов (кто желает) • 1 ст. л. муки • 2 яичных желтка • Сок из 1 лимона

Цыплят вычистить, вымыть, разбить на части, положить на три минуты в кипяток, дать стечь воде, положить в кастрюлю со 100 граммами масла и обжарить. Налить два стакана воды, посолить и варить, накрыв крышкой, полчаса.

Затем в отдельной кастрюле вскипятить ложку муки в двух столовых ложках масла, развести бульоном от цыплят, положить их в соус и варить до готовности. Затем подбить яичными желтками и поставить на огонь, но не давать кипеть.

Когда соус поспеет, выложить на блюдо, выжать в соус сок из лимона. В этот соус можно положить шампиньоны.

№ 21. Цыплята с немецким соусом

2 цыпленка • 1/2 корня петрушки • 1/2 корня сельдерея • 1/2 порея • 1/2 моркови • 1 луковица • 2–3 яйца • 5–6 сухарей • 1 ч. л. соли • 1 ст. л. рубленой зелени петрушки

Для соуса: 10–12 шампиньонов • 1–2 ст. л. коровьего масла • 1 стакан бульона • Сок из 1/2 лимона • 1 стакан сливок

Очищенных, вымытых и выпотрошенных цыплят сварить до половины готовности с разными кореньями, затем обвалять в яйцах и тертых сухарях и изжарить. Разбить цыплят на части и облить следующим соусом.

Изрубить несколько шампиньонов, обжарить их в масле, прибавить стакан бульона (от цыплят или другого), довести до густоты соуса, положить масло, измельченную петрушку, процедить, прибавить сок из половины лимона и стакан сливок, еще раз процедить и подавать, посыпав зеленью петрушки.

№ 22. Цыплята с бешамелем

2 цыпленка • 2–3 ст. л. коровьего масла • 1 ч. л. соли

На бешамель: 1 1/2 ст. л. коровьего масла • 1/2 стакана муки • 2 стакана сливок или молока • 1/2 ч. л. натертого мускатного ореха • 1 ст. л. сахара

Очищенных и посоленных цыплят изжарить в кастрюле, поливая маслом, или отварить с кореньями (взять по половинке каждого) и солью в воде (отвар употребить на суп).

Когда цыплята будут готовы, взять муку, полторы столовые ложки масла, вскипятить раза два, развести сливками или молоком, всыпать натертый мускатный орех и сахар, вскипятить несколько раз, беспрестанно мешая.

Когда бешамель подрумянится, сложить цыплят на блюдо, облить их густым соусом, поставить ненадолго в печь и подавать, посыпав рубленой зеленью петрушки.

№ 23. Сладкое мясо под соусом

1/2 корня петрушки • 1 луковица • 10 шалотов • 10 шампиньонов • 1–2 ст. л. масла • 1/4 ч. л. мелкого перца • 100 г шпика • 1/2 стакана белого вина • 1/2 стакана бульона • 800 г сладкого мяса

Нарубить как можно мельче корень петрушки, луковицу, шалоты и шампиньоны; растереть все это хорошенько с маслом, солью и мелким перцем. Сложить все в кастрюлю с несколькими ломтями шпика, положить туда же изрезанное сладкое мясо, сверху налить белое вино и хороший бульон, накрыть крышкой и варить на очень умеренном огне, чтобы соус только слегка кипел.

Когда мясо поспеет, вынуть его, снять жир с соуса, процедить его, прибавить немного бульона и подавать.

№ 24. Куропатки с кислым соусом

2 куропатки • 100 г шпика • 1 1/2 ч. л. соли • 1–2 ст. л. масла

Для соуса: 1 ст. л. каперсов • 1/2 лимона • 2 ст. л. масла • 1 ст. л. муки • 1 ст. л. оливок без косточек • 1 стакан белого вина • 1 стакан бульона

Изжарить куропаток, обернув их в ломти шпика, как сказано в разделе III.

Приготовить следующий соус: распустить в кастрюле две столовые ложки масла, положить ложку муки и дать прокипеть. Затем развести кипящим бульоном, посолить по вкусу, положить каперсы, оливки без косточек, два-три ломтика лимона и стакан белого вина, прокипятить раза три-четыре.

Когда соус поспеет, опустить в него куропаток и держать пять минут на огне, не давая сильно кипеть.

№ 25. Соус из тетеревов

2 молодых тетерева • 4 ст. л. коровьего масла • 1 1/2 ч. л. соли • 1 стакан красного вина • 1 стакан бульона (или воды) • 1 французский белый хлеб (250 г) • 1 лавровый лист • 1 луковица • 1 ст. л. рубленой зелени петрушки

Тетеревов очистить, выпотрошить, посолить и подчеркнуть

как следует. Изжарить их в кастрюле в трех столовых ложках масла, вынуть, снять мясо с костей и разрезать его на части.

Кости истолочь мелко в ступке, положить в кастрюлю с корками от половины французского белого хлеба, нарезанным луком, солью, лавровым листом, налить стакан красного вина и стакан воды или бульона, дать хорошенько прокипеть и затем протереть сквозь частое сито, слить в кастрюлю.

Положить туда мясо от тетеревов, дать несколько раз прокипеть, выложить на блюдо, обложить кругом гренками и посыпать рубленой зеленью петрушки.

№ 26. Куропатки под соусом

2 куропатки • 100 г черного или пеклеванного хлеба • 3 сардели • 2 луковицы • $1^1/_2$ ч. л. соли • 2–3 ст. л. коровьего масла • 2 ст. л. каперсов • 1 лимон • 3–4 стакана мясного бульона

Куропаток ошпарить, очистить, выпотрошить, посолить и оправить, положить в кастрюлю с двумя горстями тертого черного или пеклеванного хлеба, изрубленными сарделями, мелко искрошенными луковицами и коровьим маслом. Залить мясным бульоном, чтобы покрывал куропаток, и дать вариться два часа.

Когда же куропатки будут готовы, соус процедить, подлить лимонного сока, прибавить каперсы и еще раз прокипятить.

Куропаток разбить на части, уложить на блюдо и облить соусом.

№ 27. Утка под соусом

1 домашняя или 2 дикие утки • 3–4 ст. л. коровьего масла • 2 сардели или 1 голландская селедка • 5 трюфелей • 5 сморчков • 1 луковица • 1 ст. л. муки • 2 стакана мясного бульона • $1^1/_2$ ч. л. соли • Сок из 1 лимона

Утку ошпарить, очистить, выпотрошить, посолить, оправить и изжарить в коровьем масле до половины готовности (жарить 15 минут).

Между тем распустить отдельно в кастрюле одну столовую ложку масла, выкипятить в нем ложку муки, развести мясным бульоном, дать вскипеть.

Мелко изрубить очищенные сардели или селедку, трюфели, сморчки и лук, положить все это в соус, приправить его лимонным соком, положить утку, разнятую на части, уварить ее до готовности и подавать.

№ 28. Соус из потрохов

2 набора потрохов (гусиных или индюшиных) • 1 ломоть шпика • 1 луковица • 1/2 корня петрушки • 1/2 корня сельдерея • 1 ч. л. соли • 3–4 ст. л. коровьего масла • 1 ст. л. муки • 100 г чернослива • 1 горсть изюма • 1 ст. л. мелкого сахара • 2 ст. л уксуса • 1/2 стакана сметаны (кто желает)

Опалить и вымыть крылья от гуся или индейки. Разрезать пупок, снять с него кожу, вымыть. Обдать кипятком лапы и снять с них кожу. Приготовив таким образом пороха, положить их в кастрюлю с ломтем шпика, кореньями и луком, налить три стакана воды и варить. Когда потроха почти поспеют, обжарить их в масле.

Вскипятить в отдельной кастрюле ложку муки в двух столовых ложках масла, развести бульоном от потрохов и мешать, чтобы не было комков. Когда соус будет поспевать, опустить в него потроха, добавить чернослив, изюм, сахар, уксус и дать поспеть. Можно влить полстакана сметаны.

№ 29. Утка с репой

1 домашняя утка • 4–5 штук репы • 3–4 ст. л. коровьего масла • 1 1/2 ч. л. соли • 1 ст. л. муки • 1 ст. л. уксуса • 1/2 стакана сметаны • 2 стакана мясного бульона

Утку очистить, выпотрошить, посолить, заправить и обжарить в кастрюле в небольшом количестве масла. Репу очистить и также обжарить в столовой ложке масла в отдельной кастрюле.

Вынув репу и утку, положить ложку муки, дать ей покраснеть,

влить мясной бульон, положить туда утку и репу и варить до готовности (15—20 минут). Если репа очень молодая, то ее нужно класть тогда только, когда утка поспеет наполовину.

Когда соус приготовится, снять жир и сгустить его, если это нужно; перед подачей влить уксус и сметану.

Разнять утку на части, обложить репой, облить соусом.

Раздел VII

Горячие блюда из вареной рыбы

№ 1. Разварная рыба

Рыба (около 1,2 кг) • 1 корень петрушки • 1 корень сельдерея • 1 морковь • 1–2 луковицы • 2–3 лавровых листа • ½ стакана уксуса • 2 ч. л. соли

Какую угодно рыбу очистить и выпотрошить, как сказано в «Общих наставлениях» в начале книги, посолить ее и оставить так на час. Затем вскипятить воду с кореньями и солью, завязать рыбу в салфетку, обмотать ниткой, опустить в сказанный кипяток и дать ей поспеть (варить, смотря по величине рыбы, от 15 до 30 минут).

Когда рыба поспеет, дать ей остыть в отваре, а потом уже вынуть, дать стечь воде, вынуть из салфетки, уложить на блюдо и подавать.

▶ Примечание. К холодной рыбе подается тертый хрен со сметаной или подливка из столовой ложки горчицы, растертой с крутым яичным желтком, тремя чайными ложками прованского масла, половиной чайной ложки соли, одной чайной ложкой мелкого сахара и половиной стакана уксуса. Отвар можно употребить на уху.

№ 2. Судак разварной

Судак (около 1,2 кг) • 1 луковица • 1 корень петрушки • 1 морковь • 1 корень сельдерея • 1 ст. л. соли • 10 зерен английского перца • 2–3 лавровых листа • 1 корешок хрена • 3 ст. л. уксуса • 1 ч. л. мелкого сахара (в хрен)

Судака очистить, выпотрошить, вымыть, посолить, положить в кастрюлю, налить столько воды, чтобы она едва покрывала рыбу (если желают приготовить уху, то налить десять стаканов воды). Добавить лук, корень петрушки и сельдерея, морковь, перец, соль, лавровый лист и варить в течение получаса на довольно большом огне.

Когда рыба поспеет, оставить ее в кастрюле на несколько минут, потом вынуть, остудить и подавать с тертым хреном и уксусом.

№ 3. Окуни вареные с маслом

6–8 окуней (около 1,2 кг) • 1 корень петрушки • 1 корень сельдерея • 1 морковь • 10 зерен английского перца • 2–3 лавровых листа • 1–2 луковицы • 2 ст. л. масла • Зелень укропа • 2 крутых яйца (кто желает)

Окуней очистить, выпотрошить, вымыть, посолить, дать полежать полчаса, положить их в кастрюлю вместе с кореньями, английским перцем и лавровым листом, залить водой и варить на сильном огне 20—30 минут.

Когда окуни поспеют, уложить их на блюдо, облить вскипяченным маслом и посыпать рубленым укропом.

▶ Примечание. В масло можно положить два мелко изрубленных крутых яйца.

№ 4. Линь под соусом

Линь (около 1,2 кг) • 1/2 моркови • 1/2 корня петрушки • 1/2 корня сельдерея • 1 луковица • 2 ч. л. соли • 5 зерен английского перца • 1 лавровый лист • 1 стакан белого вина • 1/2 лимона • Зелень укропа или петрушки

Для соуса: 2 ст. л. масла • 1 ст. л. муки • 2 луковицы

Линя очистить, выпотрошить, разрезать на куски, посолить и дать полежать полчаса. Положить его в кастрюлю, добавить морковь, корень петрушки и сельдерея, луковицу, лавровый лист, зерна английского перца, налить четыре стакана воды, стакан белого вина, добавить половинку лимона, нарезанного кусками, и варить полчаса.

Между тем приготовить следующий соус. В кастрюле поджарить в масле изрубленные луковицы и ложку муки, размешать, развести процеженным рыбным бульоном, дать несколько раз вскипеть.

Облить линя соусом и подавать, посыпав рубленой зеленью укропа или петрушки.

№ 5. Щука под соусом

Щука (около 1,2 кг) • 1 стакан белого вина • 2 ст. л. уксуса • 1 корень петрушки

• 1 корень сельдерея • 2 луковицы • 100 г изюма • Лимон

Для соуса: 2 ст. л. масла • 1 1/2 ст. л. муки • 1/2 ч. л. шафрана • 3 ломтика лимона

Щуку вычистить, выпотрошить, посолить, положить в кастрюлю, влить туда белое вино, уксус и столько воды, чтобы покрывала рыбу; добавить коренья, лук и варить на большом огне полчаса.

Когда рыба поспеет, смешать в отдельной кастрюле масло, муку, немного шафранного порошка, развести рыбным бульоном, положить три ломтика лимона без зерен и кипятить, пока соус не сделается достаточно густым.

Этим соусом облить щуку, обложив ее сперва изюмом, кружочками лимона и кореньями.

№ 6. Щука с картофелем по-немецки

Щука (около 1,2 кг) • По 1 корню петрушки и сельдерея • 1 морковь • 2 ч. л. соли • 10–12 штук картофеля • 1 луковица • 2 ст. л. муки • 1 1/2 ст. л. масла • Зелень петрушки

Щуку очистить, выпотрошить, посолить, нарезать кусками и сварить вместе с кореньями. Когда рыба поспеет, вынуть ее, а в отвар положить нарезанный картофель и сварить.

Рыбу и картофель уложить на блюдо и облить следующим соусом: поджарить в масле изрубленную луковицу, всыпать муку, поджарить, развести рыбным бульоном, прокипятить хорошенько, посыпать рубленой зеленью петрушки.

№ 7. Лещи и карпы под соусом

Лещ или карп (около 1,2 кг) • 1 стакан пива • 1/2 стакана красного вина • 4 луковицы • Сок 1/2 лимона • 2–3 гвоздики • 5–6 шалотов • 2 ст. л. каперсов • 5 анчоусов • 1 ст. л. муки • 2 ст. л. масла

Леща или карпа очистить, выпотрошить, заправить, нарезать на куски, положить в кастрюлю, посолить, влить пиво, красное вино, положить луковицы, нашпиговав одну из них гвоздикой, и варить полчаса.

Затем рыбу вынуть, бульон процедить и прибавить нарубленный лук-шалот, каперсы, снятые с костей и изрубленные

анчоусы, муку, поджаренную в масле. Вскипятить, выжать сок из половинки лимона, сгустить соус и подавать.

№ 8. Фаршированная щука

Щука (около 1,2 кг) • 4 ст. л. масла • 2–3 шалота • 3 яйца (для скоромного блюда) • 1/2 ч. л. мелкого перца • 5 зерен английского перца • 2 ч. л. зелени укропа • 1 корень петрушки • 1 корень сельдерея • 2 луковицы • 1 морковь • 2–3 лавровых листа • 2 ч. л. соли

Для соуса: 1 ст. л. муки • 1 ст. л. масла • 1 рюмка мадеры • 1 лимон • 1 ст. л. каперсов • 1 ст. л. оливок

Щуку очистить, выпотрошить, снять мясо с костей, не повреждая кожу. Мясо изрубить, обжарить в масле и еще порубить. Смешать с мелко нарезанным шалотом, обжаренным в масле, и укропом, посолить, посыпать мелким перцем, влить две столовые ложки рыбного бульона, вбить яйца (если щука готовится скоромная), перемешать хорошенько и начинить этим кожу.

Щуку завернуть в салфетку, положить в кастрюлю, залить водой так, чтобы покрыла рыбу, и варить с разными кореньями, английским перцем и лавровым листом один час.

Когда щука сварится, приготовить следующий соус: взять отвар из-под щуки, подбить мукой, поджаренной в масле, влить рюмку мадеры, положить каперсы, оливки и сок из лимона. Готовым соусом облить щуку.

№ 9. Треска с картофелем

Треска (0,8–1,2 кг) • 10–15 штук картофеля • 4 ст. л. масла • 2 ч. л. соли • Зелень петрушки

Треску перемыть в нескольких водах. Налить в кастрюлю холодной воды, положить соль (если треска несоленая), треску и очищенный картофель. Варить полчаса, до готовности трески. Вынуть рыбу и доварить картофель.

Положить на блюдо треску, обложить картофелем, облить маслом и посыпать зеленью петрушки.

№ 10. Лососина под соусом

1,2 кг лососины • 1–2 лавровых листа • 5 зерен английского перца • 1–2 луковицы

Лососину очистить от чешуи, посолить и оставить так на час. Потом положить в кастрюлю, налить столько воды, чтобы покрывала рыбу, прибавить лавровый лист, перец, лук, накрыть крышкой и варить, пока не поспеет рыба (полчаса). Затем нарезать ломтиками.

▸ Примечание. Подается как в рецепте № 1 этого раздела.

№ 11. Угорь под соусом

Угорь (около 1,2 кг) • 1 лавровый лист • 1 корень петрушки • Чабер • 1 стакан белого вина • 4 шт. сухарей • 2 ст. л. масла

Для соуса: 1 ст. л. муки • 2 ст. л. масла • 1 ст. л. каперсов • 8 оливок • 1 лимон

Сняв с угря кожу, вычистить его и отварить в соленой воде, добавив лавровый лист, корень петрушки, чабер и белое вино. Когда угорь сварится, нарезать его кусками, обвалять в тертых сухарях и поджарить в масле.

Соус к нему: ложку муку вскипятить в двух ложках масла, помешивая, чтобы не было комков, развести процеженным отваром из-под угря, положить каперсы, оливки, дать вскипеть и, подавая, выжать сок из лимона.

№ 12. Угорь под соусом, иначе приготовленный

Угорь (около 1,2 кг) • 100 г коровьего масла • 2 ч. л. соли • 1 ст. л. муки • 1/2 бутылки белого вина • 2–3 мелкие луковицы • 1/2 ч. л. натертого мускатного ореха • 1/2 ч. л. мелкого перца • 1 гвоздика • 2 лавровых листа • 3 яичных желтка • 2 ст. л. лимонного сока • 1 ст. л. рубленой зелени петрушки

Угря очистить, выпотрошить, посолить, разрезать на куски и положить в кастрюлю. Добавить масло, мелкий перец, мускатный орех, поставить на легкий огонь, посыпать рыбу мукой, смочить бульоном и каким-нибудь хорошим белым вином, добавить мелкие луковицы, гвоздику и лавровый лист.

Когда угорь поспеет, уложить его на блюдо, поместить между кусками хлебные корки.

Процедить и уварить соус, снять с него жир, подбить яичными желтками, процедить сквозь сито, подлить лимонный сок и облить угря. Сверху посыпать рубленой зеленью петрушки.

№ 13. Осетрина под соусом

0,8–1 кг осетрины • 2 луковицы • 1/2 моркови • 1 корень пастернака • 1 корень петрушки • 5 зерен английского перца • 1 стакан белого вина • 2 ч. л. соли (если осетрина несоленая)

Для соуса: 1 ст. л. муки • 1 ст. л. каперсов • 10 штук оливок или маслин • 2–3 ст. л. масла коровьего или постного • Вино

Кусок осетрины вымыть, положить в кастрюлю, добавить крупно нарезанный лук, морковь, корень пастернака, корень петрушки, соль (если осетрина несоленая), горошины перца, стакан белого вина и достаточное количество воды, чтобы покрыла рыбу, и варить полчаса. Когда осетрина поспеет, уложить ее на блюдо, нарезать ломтями и облить следующим соусом.

Поджарить муку в масле (скоромном или постном), развести процеженным отваром от осетрины, прибавить вино, размешать и варить, пока не станет густеть. Если отвара очень много, то взять его столько, сколько нужно, а остальной спрятать. Когда соус начнет густеть, положить в него каперсы, очищенные оливки или маслины и дать поспеть.

№ 14. Осетрина с кисло-сладким соусом

0,8–1 кг осетрины • Коренья (морковь, петрушка, пастернак) • 1 лавровый лист • 5 зерен английского перца • 1 луковица • Тертый хлеб • Масло для жаренья

Для соуса: 3 ст. л. масла • 200 г чернослива • 2 ч. л. сахара • 1 луковица • 1 ст. л. муки • 1–2 ст. л. уксуса

Кусок осетрины отварить в воде с кореньями, английским перцем, лавровым листом и луковицей. Нарезать рыбу ломтиками, обвалять в тертом хлебе и обжарить в масле.

Вскипятить чернослив в воде, прибавить сахар, нашинкованный лук, муку, вскипяченную в двух столовых ложках масла, уксус по вкусу, столовую ложку масла и кипятить, пока не поспеет.

Уложить осетрину на блюдо и облить соусом.

№ 15. Форель

1–3 форели (1,2 кг) • 2 ч. л. соли • Коренья (морковь, петрушка, пастернак)
Для соуса: 50 раков • 4–6 сушеных белых грибов • 1 ст. л. каперсов • 1–2 ст. л. уксуса • 2–3 ст. л. масла • 1 ст. л. муки • 1 стакан сметаны (для скоромного блюда) • 2–3 ломтика лимона

Форель очистить, выпотрошить, вымыть, посолить, дать полежать час, сварить в длинной кастрюле с кореньями, положить на блюдо и облить следующим соусом.

Очистить вареных раков, выбрать шейки, а остальное истолочь и отварить. Готовый отвар процедить, положить сушеные белые грибы, размоченные в воде, и варить, пока они не сделаются мягкими. Затем поджарить в отдельной кастрюле муку в масле, развести несколькими ложками отвара от раков и грибов, смешать, процедить, положить стакан сметаны (если блюдо готовится скоромным), грибы, ломтики лимона, раковые шейки, каперсы, еще раз вскипятить и облить форель.

№ 16. Форель с трюфелями

Форель (около 1,2 кг) • 4–5 трюфелей • 1 стакан вина • 2 ч. л. соли • 2 яйца • 2 ст. л. сливочного масла • 10 артишоков • 1 французская булка (200 г) • 1/2 ч. л. натертого мускатного ореха

Форель вычистить, выпотрошить, вымыть. Осторожно вырезать мясо, не повреждая кожу, снять его с костей, мелко изрубить, смешать с мякишем французской булки, изрубленными трюфелями, натертым мускатным орехом. Вбить яйца, положить сливочное масло, чайную ложку соли, размешать, порубить еще.

Нафаршировать этим фаршем кожу форели, положить в кастрюлю, влить вино и воду,

чтобы жидкость покрыла рыбу, положить лук, донышки артишоков, чайную ложку соли и варить полчаса, до готовности.

Подавая, облить отваром.

№ 17. Соус из стерляди

Стерлядь весом около 1,2 кг • 2 ст. л. масла (или 1 стакан вина) • 3–4 трюфеля • 2–3 ст. л. лимонного сока • 1/2 стакана рубленой зелени петрушки

Стерлядь вычистить, выпотрошить, посолить, дать полежать час, поджарить в масле на сковороде или отварить в воде с вином до половины готовности.

Затем вымыть трюфели, положить вместе со стерлядью в кастрюлю, влить лимонный сок, бульон от стерляди или другой рыбы, прибавить рубленую зелень петрушки и варить до готовности.

▸ Примечание. Кто желает, может отварить в этом соусе штук пять очищенных шампиньонов и положить одну-две столовые ложки сливочного масла.

И. Хруцкий. Мясо и овощи. 1842

И. Хруцкий. Плоды. 1839

Б. Кустодиев. На Волге. 1910

К. Коровин. Рыбы. 1916

К. Маковский. Разговоры по хозяйству. 1868

В. Маковский. На кухне. 1913

А. Корзухин. Дети на террасе. 1887

Б. Кустодиев. Чаепитие. 1913

Б. Кустодиев. Приказчик. 1919

К. Коровин. За чайным столом. 1888

И. Куликов. Ярмарка. 1910

В. Маковский. Обед. 1875

Б. Кустодиев. Купчиха, пьющая чай. 1923

Б. Кустодиев. Извозчик в трактире. 1920

И. Хруцкий. Битая дичь, овощи и грибы, 1854

К. Коровин. Натюрморт с рыбами. 1930

В. Маковский. Варят варенье. 1876

К. Маковский. Крестьянский обед во время жатвы. 1871

Б. Кустодиев. Гостиный двор (В торговых рядах). 1916

И. Куликов. Базар с баранками. 1910

Б. Кустодиев. На террасе. 1906

Раздел VIII

Холодные похлебки, скоромные и постные

№ 1. Окрошка мясная

Вареное мясо (200 г говядины, 200 г телятины, 200 г ветчины, 200 г курицы) • 4 ст. л. зеленого лука • 3–4 свежих огурца • 1 ст. л. укропа • 3 крутых яйца • От 1/2 до 1 стакана сметаны • 1–2 ст. л. сахара • 1,7 л кваса или кислых щей • 1 ч. л. горчицы

Взять вареной, без жира, говядины, телятины, ветчины и курицы, мелко изрезать.

Зеленый лук, свежие огурцы, укроп изрезать помельче, смешать с мясом, прибавить рубленые крутые яйца, сметану, соль, сахар по вкусу и, кто любит, чайную ложку горчицы.

Смешать все получше и развести квасом или кислыми щами. За пять минут перед подачей положить кучек льда.

№ 2. Окрошка скоромная, иначе приготовленная

1/4 вареного языка • 1/2 жареной курицы • 1/2 жареного рябчика • 1/2 жареного тетерева • 3 ст. л. зеленого лука • 2 ч. л. соли • 1 ст. л. мелкого сахара • 4 моченых яблока • 3–4 свежих огурца • 4 крутых яйца • От 1/2 до 1 стакана сметаны • 1 ст. л. сарептской горчицы • 1,5–2 л кваса или кислых щей • Укроп

Изрубить помельче вареный язык и мясо птицы, которое должно быть снято с костей. Прибавить очищенные и мелко нарезанные моченые яблоки, крутые яйца, свежие огурцы, зеленый лук, сметану, сарептскую горчицу, соль и сахар по вкусу, рубленую зелень укропа.

Все размешать хорошенько, посолить и развести квасом или кислыми щами. Опустить кусок льда.

№ 3. Ботвинья

600 г малосольной или свежей рыбы (лососины, осетрины, белуги, сига или судака) • 200 г шпината • 4 свежих огурца • 2 ст. л. рубленого укропа • 1–2 ч. л. соли • 25 раков • 2 ст. л. нарезанного зеленого лука • 1,5 л кислых щей или кваса • 2 ст. л. мелкого сахара

Шпинат перебрать, отварить, откинуть на решето, изрубить, протереть сквозь сито, остудить. Изрезать мелко свежие огурцы, укроп, зеленый лук, нарезать отваренную малосольную или свежую рыбу, снятую с костей, сложить все в суповую чашку. Прибавить отваренные и очищенные раковые шейки, соль, сахар по вкусу, влить немного кваса, дать постоять минут пять, накрыв крышкой.

Перед подачей развести как следует остальным квасом и кислыми щами и опустить туда кусок льда.

№ 4. Ботвинья, иначе приготовленная

400 г молодого свекольника • 5 свежих огурцов • 3 ст. л. зеленого лука • 2 ч. л. соли • 1–2 ст. л. мелкого сахара • 25 раков • 700 мл кваса • 1,5 л кислых щей • 600 г соленой или свежей рыбы • 1 ст. л. рубленой зелени укропа

Молодой свекольник отварить в соленой воде, откинуть на решето, дать остыть, изрубить как можно мельче. Очистить и изрезать помельче свежие огурцы. Нарубить зеленый лук и укроп.

Смешать все это, посолить, положить сахар по вкусу, прибавить очищенные раковые клешни и шейки, влить немного кваса и дать постоять.

Потом развести остальным квасом и кислыми щами, положить два-три куска льда и несколько кусков разной отваренной соленой или свежей рыбы и подавать.

№ 5. Окрошка сборная постная

200 г семги или вареной лососины • 200 г вареной белуги • 200 г вареной осетрины • 1 голландская или шотландская селедка • 4 свежих огурца • 10–12 маринованных белых грибов • 400 г шпината • 2 ст. л. зеленого лука • 1 ст. л. укропа • 1 ст. л. оливок • 1 ст. л. каперсов • 1 ст. л. горчицы

• 1 ст. л. прованского масла • 700 мл кваса • 1,5 л кислых щей • 2 ст. л. мелкого сахара • 2 ч. л. соли

Мелко нарезать 600—800 граммов разной вареной и соленой рыбы, в том числе, кто желает, и шотландскую или голландскую селедку (рыба должна быть снята с костей), сложить в миску.

Шпинат перемыть в нескольких водах, отварить и протереть сквозь решето, добавить к рыбе. Туда же положить мелко нарезанный зеленый лук, мелко нарезанные огурцы, нарубленный укроп, маринованные белые грибы, оливки без косточек, каперсы.

Растереть горчицу с ложкой прованского масла, развести стаканом кваса, положить соль и сахар, влить в миску, размешать, долить остальной квас и кислые щи, размешать, положить кусок льда и подавать.

№ 6. Холодник из ягод

800 г малины, клубники или земляники • $^{3}/_{4}$ стакана мелкого сахара • $^{1}/_{2}$ ч. л. толченой ванили (или 1 ч. л. мелкой корицы) • 1,7 л сливок или цельного молока (или 200 г очищенного сладкого и 6 штук горького миндаля) • 3 яичных желтка (для скоромного блюда, по желанию)

Очистить, перебрать и вымыть малину, клубнику или землянику, половину размять, смешать с сахаром, подливая понемногу сливки или цельное молоко, или заменить на миндальное молоко (если холодник готовится постный), которое приготовляется из сладкого миндаля с несколькими штуками горького.

Если же холодник готовится скоромный, то можно взять сырые яичные желтки, сначала растереть их добела с указанным количеством сахара, развести сливками или молоком, а тогда уж смешать с размятыми ягодами.

Затем положить в миску остальные ягоды, залить этой смесью, прибавить ваниль или корицу и поставить на полчаса

на лед. Подавать с бисквитами или пирожным безе.

№ 7. Холодник из риса

200–300 г риса • 1,7 л сливок (или 200 г очищенного сладкого и 6 штук горького миндаля) • 3/4 стакана сахара • 1 ч. л. мелко истолченной ванили или корицы

Отварить рис, откинуть на решето, промыть холодной водой, сложить в миску, налить сливки или миндальное молоко (с горьким миндалем), всыпать сахар и ваниль или корицу, поставить на полчаса на лед.

Раздел IX

Холодное мясо, заливные и галантиры

№ 1. Студень

2 бычьи ноги • 5 зерен английского перца • 2–3 лавровых листа • 1 ч. л. соли • ½ лимона • 1 крутое яйцо • 1–2 ст. л. уксуса

Очистить и вымыть бычьи ноги, положить в горшок или кастрюлю вместе с солью, лавровым листом, зернами английского перца и налить десять стаканов воды, чтобы она покрыла ноги. Накрыть крышкой, поставить в жарко натопленную печь или на плиту и варить на легком огней часа четыре. Надобно, чтобы мясо почти разварилось и отстало от костей.

Затем кости выбрать, мясо нарезать мелкими кусочками, положить их в форму и залить бульоном, который нужно процедить сквозь сито и салфетку, влив уксус и потом поставив в холодное место, чтобы застыло. Дно формы можно обложить ломтиками крутого яйца и лимона без зерен.

Подавать с уксусом и хреном, выложив студень из формы.

№ 2. Разварная говядина

1–1,2 кг говядины (огузок или ссек) • 1 корень петрушки • 2 луковицы • 1 ст. л. соли

Мякотный кусок говядины вымыть, положить в горшок или кастрюлю вместе с корнем петрушки и луковицами, налить кипятка так, чтобы только покрыло говядину, посолить, поставить в печь или на плиту и варить полтора часа. При этом надобно заметить, что желающий иметь хорошую разварную говядину должен пожертвовать бульоном и дать говядине вариться только до того времени, как она сделается мягкой.

Разварную говядину подают обычно с горчицей, с каким-либо острым соусом или с тертым хреном и уксусом.

№ 3. Холодная говядина

0,8–1,2 кг говядины (ссек или огузок) • 1 корень петрушки • 1 корень сельдерея • 1 морковь • 1/2 репы • 2 ч. л. соли • 3 луковицы • 3 лавровых листа • 5 зерен английского перца • 1/2 стакана сметаны • 1 ст. л. рубленой зелени петрушки • Хрен и уксус по вкусу

Мякотный кусок говядины сварить в воде (класть прямо в кипяток) с солью, нарезанными корнями петрушки и сельдерея, морковью, целыми луковицами, половиной репы, лавровым листом и английским перцем.

Подавая на стол, обсыпать рубленой зеленью петрушки. Подается с горчицей или с тертым хреном и сметаной.

№ 4. Винегрет

600 г жареного или вареного мяса (говядины, телятины, дичи, домашней птицы) • 6 штук вареного картофеля • 2 вареные свеклы средней величины • 2 свежих или соленых огурца • 2 крутых яйца • 1/2 стакана уксуса • 1 ст. л. сарептской горчицы • 1 ст. л. прованского масла • 1 ч. л. соли • По желанию: 2 моченых яблока, 6 маринованных белых грибов, столько же других грибов, 1 ст. л. каперсов, 1 ст. л. оливок, 1 ст. л. маринованных вишен

Снять с костей оставшееся жареное или вареное мясо, как то: телятина, говядина, баранина, поросенок, гусь, индейка, дичь и прочее, нарезать небольшими кусочками.

Нарезать тоненькими ломтиками вареный картофель, вареную свеклу, очищенные свежие или соленые огурцы. Все это уложить рядами поверх мяса и обсыпать мелко накрошенными яйцами.

Наконец, хорошенько взбив вместе ренский уксус, горчицу, прованское масло и немного соли, облить этой смесью винегрет на блюде.

Кто хочет, может класть в винегрет нарезанные кусочками моченые яблоки, сливы, маринованные вишни, крыжовник, каперсы, оливки, отварные белые грибы, соленые грузди и рыжики.

№ 5. Сборный винегрет

Провизия та же, что для предыдущего блюда • 1 голландская или шотландская селедка • 200 г вареной свежей или свежепросоленной рыбы (осетрины, белуги, семги), лучше разной

Берут, смотря по семейству, говядину, телятину, дичь, живность, рыбу, селедку, срезают с костей, режут небольшими кусочками, укладывают рядами на блюдо вперемежку с рядами кружков вареного картофеля, вареной свеклы, свежих или соленых огурцов.

Блюдо украшают нашинкованною свежею красною или белою капустой, салатом, латуком, ломтиками моченых яблок, маринованными вишнями и сливами, каперсами, оливками, отварными грибами и вообще всякими соленьями.

Обливают соусом: уксус, прованское масло, горчица и немного соли.

№ 6. Ветчина

Запеченную или вареную ветчину остудить, нарезать кусками и подавать с горчицей или с тертым хреном и уксусом.

№ 7. Окорок ветчины печеный

1 окорок ветчины • 1–1,6 кг ржаной муки • 1 ст. л. сахара

Замесить из ржаной муки на воде тесто, обмазать им окорок, положить на противень, посадить в жаркую печь и запекать, смотря по величине окорока, полтора-два часа, каждые 10 минут поливая его холодной водой.

Когда поспеет, вынуть, дать немного остыть, очистить от теста, обмыть, снять кожу, полить бульоном, посыпать мелким сахаром и поставить в печь, чтобы окорок зарумянился или поджарился сверху.

▶ Примечание. Подается горячим и холодным. В первом случае — с картофельной кашей (пюре), зеленым горошком и соусом из белой фасоли; во втором — с тертым хреном или горчицей.

№ 8. Холодный язык

1,2 кг языка • $^1/_2$ корня петрушки • $^1/_2$ моркови • $^1/_2$ корня сельдерея

• 3 зерна английского перца • 1 лавровый лист • 1 луковица • 2 ч. л. соли • Хрен и уксус по вкусу

Бычий язык обмыть, вычистить и отварить до мягкости в воде с солью, луковицей, кореньями, зернами английского перца, лавровым листом. Вынуть (бульон можно употребить на суп), остудить, нарезать тонкими ломтями и уложить на блюде или подать цельным с тертым хреном.

▶ Примечание. Горячий язык подается с зеленым горошком, картофельным пюре или соусом из белой или зеленой фасоли.

№ 9. Ветчина обливная

0,8–1 кг ветчины • 2 телячьи ножки • 2 зерна английского перца • 1 лавровый лист • 1/2 ч. л. соли • 1–2 ч. л. уксуса • 1 ст. л. каперсов • 1 ст. л. оливок • 1/2 лимона • 1 ст. л. рубленой зелени петрушки

Нарезать испеченной (см. рецепт № 7 этого раздела) ветчины самыми тонкими ломтиками. Положить в кастрюлю очищенные и ошпаренные телячьи ножки, зерна английского перца, лавровый лист, соль, налить четыре стакана воды и варить часа три. Затем влить уксус и процедить.

Положить ветчину на блюдо, облить бульоном от ножек, поставить в холодное место, посыпать рубленой зеленью петрушки, украсить ломтиками лимона, каперсами и оливками и подать на стол.

№ 10. Солонина с хреном и сметаной

0,8–1 кг солонины (огузок) • 1 стакан сметаны • 1/2 чайной чашки тертого хрена • 3–4 ст. л. уксуса • 1 ч. л. сахара (в хрен)

Сварить до мягкости хорошую часть солонины, остудить, разрезать на ломти, уложить на блюдо и облить соусом из сметаны, тертого хрена и уксуса. Сверху посыпать рубленой зеленью петрушки.

№ 11. Разварной поросенок

Молочный поросенок весом около 1,2 кг • 4 зерна английского перца • 2 лавровых листа • 1/2 корня петрушки • 1/2 корня сельдерея • 1/2 моркови • 1 луковица

• 2 ч. л. соли • 2 корешка хрена

• 2 ст. л. уксуса • 1 стакан сметаны

• Зелень петрушки

Молочного поросенка очистить, обмыть, посолить, дать полежать час. Затем положить его в длинную кастрюлю, налить столько воды, чтобы покрыла поросенка (еще лучше завязать его в салфетку). Добавить зерна английского перца, лавровые листья, коренья, луковицу и варить до мягкости поросенка (часа полтора), наблюдая, чтобы он не переварился.

Подавая на стол, разрубить на части, но сложить их вместе, чтобы поросенок имел вид цельного, облить свежей сметаной с тертым свежим хреном и осыпать рубленой зеленью петрушки или укропа.

№ 12. Заливное

800 г (без костей) жареной или вареной говядины, телятины, курицы или дичи • 2–3 крутых яйца • 1/2 лимона • 2 ч. л. рубленой зелени петрушки • 2–3 кочана цветной капусты • 5–6 штук картофеля • 2–3 моркови

Для соуса: 4 яичных желтка • 1 ст. л. прованского масла • 1 ст. л. горчицы • 1/2 ч. л. соли • 1–2 ст. л. уксуса

Для галантира: 2–3 телячьи ножки • 2–3 зерна английского перца • 1 лавровый лист • 1 луковица • 1 ч. л. соли • 1–2 ч. л. уксуса • Яичные белки

Нарезать ломтиками мясо — жареное или вареное, какое случится. Дно формы украсить рубленой зеленью петрушки, дольками лимона без зерен и ломтиками крутого яйца, налить галантир, застудить, уложить ряд мяса и ряд крутых яиц, нарезанных ломтиками, залить галантиром и застудить. Потом опять укладывать ряды и поступать так, пока форма не наполнится. Последний слой должен быть из галантира. Застудить на льду или в холодном месте.

Сварить цветную капусту, картофель и морковь, откинуть на сито, разрезать на куски.

Соус: яичные желтки растереть с прованским маслом, горчицей, солью и уксусом. Выложить заливное на блюдо, украсить отварными овощами и облить соусом.

Галантир (студень) приготовляется следующим образом. Очистить и вымыть телячьи ножки, положить в кастрюлю, залить четырьмя-пятью стаканами холодной воды, положить чайную ложку соли, зерна английского перца, лавровый лист, луковицу в перьях и варить три часа на легком огне, тщательно снимая накипь. Затем процедить сквозь сито и салфетку, осветлить, если нужно, белками и прибавить уксус.

№ 13. Буженина

1,6–2 кг свинины от заднего окорока • 1–2 головки чеснока • 2–2,5 л кваса • 1–2 ст. л. масла • Горчица и уксус (или хрен и сметана)

Кусок свежей свинины нашпиговать чесноком и положить на сутки в квас.

На другой день обтереть, натереть солью, дать полежать час, положить на противень с маслом, поставить в печь и, когда зарумянится с одной стороны, перевернуть на другую. Держать в печи 30—45 минут. Затем остудить.

Подавать с уксусом и горчицей или с хреном и сметаной.

№ 14. Заливной каплун или курица

Каплун или курица • 400 г телятины • 2 телячьи ножки • 3 яйца • 1/4 стакана сливок • 2 луковицы • 1/2 ч. л. мелкого перца • 1 ст. л. уксуса • 1 1/2 ч. л. соли • 1 гвоздика • 1/2 ч. л. корицы • 3 зерна английского перца • 1/2 корня петрушки • 1/2 корня сельдерея • 1/2 моркови • 1/2 бутылки белого виноградного вина • 3 яичных белка • 1/2 лимона • 1 ст. л. каперсов • 1 ст. л. оливок • Зелень петрушки

Каплуна или молодую жирную курицу очистить, отрезать голову, осторожно снять с мяса кожу и вынуть кости, а от ножек и крыльев обрубить длинные кости, но так, чтобы не терялась наружная форма птицы.

Потом взять телятину и мясо каплуна, изрубить как можно мельче, прибавить яйца, хорошие сливки, нарубленную луковицу, мелкий перец, натертый мускатный орех, чайную ложку соль, хорошенько размешать и этим фаршем начинить кожу каплуна и зашить спинку.

Положить птицу в кастрюлю, влить туда пять стаканов воды, прибавить гвоздику, корицу, зерна перца, половину чайной ложки соли, разные накрошенные коренья, луковицу, полбутылки вина и очищенные телячьи ножки, закрыть кастрюлю и дать кипеть, снимая пену, пока все хорошенько не уварится.

После этого выложить каплуна на глубокое блюдо, украшенное каперсами, оливками и ломтиками лимона без зерен, снять с бульона жир, процедить сквозь сито, очистить его с помощью взбитых яичных белков, облить им каплуна и застудить в холодном месте.

№ 15. Заливные рябчики

2–3 телячьи ножки • 3 рябчика • 2–3 ст. л. масла • 6 зерен перца • 1/2 корня петрушки • 1/2 корня сельдерея • 1/2 моркови • 1 луковица • 2 лавровых листа • 2 ч. л. соли • 1 лимон • 1 ст. л. уксуса • 1 кусок сахара

Телячьи ножки, предварительно очищенные и вымытые, варить часа два с четырьмя стаканами воды, луковицей в перьях, тремя зернами английского перца, лавровым листом, кореньями и чайной ложкой соли, пока отвар не сделается клейковатым.

Между тем ощипать, очистить, выпотрошить и перемыть хорошенько рябчиков, отсечь у них крылья и ножки до последнего сустава, изжарить их в кастрюле в масле или опустить в кипяток с таким количеством воды, чтобы она совсем покрыла рябчиков. Дать один раз прокипеть, потом, сняв пену, прибавить туда три зерна английского перца, накрошенные коренья, лавровый лист, чайную ложку соли, нарезанные лимонные корки и оставить рябчиков увариться до половины, а тогда выложить их, чтобы они остыли.

В то же время, сняв с бульона жир, подлить в него отвар из телячьих ножек, процеженный сквозь сито, прибавить столовую ложку уксуса и кусок жженого сахара, дать хорошенько прокипеть, процедить сквозь чистую салфетку и остудить.

После этого рябчиков, разрезанных пополам, уложить в форму

или глубокую посуду друг возле друга, облить процеженным бульоном (пока он еще теплый) и застудить. Дно формы можно украсить ломтиками лимона, зеленью петрушки, каперсами и оливками без косточек.

№ 16. Телятина под галантиром

1 телячья голова или 3 телячьи ножки • 1 луковица • 1 лавровый лист • 3 зерна английского перца • 10 оливок • 2 вареных яйца • 3 сырых яйца • 1 морковь • 1 ст. л. уксуса • 1 стакан вина (по желанию) • 1 лимон • 2 ст. л. каперсов • 600–800 г жареной или вареной телятины

Телячью голову или телячьи ножки очистить, вымыть, залить шестью стаканами воды, положить чайную ложку соли, зерна перца, лавровый лист, луковицу в перьях, коренья и варить до тех пор, пока все кости не отстанут и бульон не сделается крепким. Процедить бульон, влить уксус, а по желанию можно прибавить стакан хорошего виноградного вина, и все это вскипятить раза два.

Затем взбить веничком три белка, влить две ложки холодной воды, развести приготовленным для галантира бульоном, накрыть крышкой, разогреть, не давая кипеть, на легком огне, пока бульон не сделается прозрачным, а потом процедить сквозь чистую салфетку.

Когда галантир будет готов, налить немного его в форму или глубокую посудину, дать застыть, потом уложить на него ломтики тонко нарезанного свежего лимона, а также каперсы, оливки, круто сваренные и разрезанные на четыре части яйца, нарезанную кружками морковь, а поверх всего уложить вареную или жареную в масле и разрезанную на небольшие куски телятину. Залив после этого бульоном, дать застыть. Потом опять положить слой живности по-прежнему, опять залить бульоном и застудить на снегу или на льду.

При вынимании галантира из посудины нужно ее прежде опустить в теплую воду, чтобы посудина слегка нагрелась и галантир отстал от нее.

Подавать с соусом из горчицы, прованского масла и уксуса, взбитых вместе.

▸ Примечание. Совершенно таким же образом приготовляются курица, дичь, солонина, ветчина и прочее под галантиром.

№ 17. Паштет на манер страсбургского

600 г телячьей печенки • 200 г чухонского масла • 1 луковица • 100 г белого хлеба • 3 яйца • 40 г сухого бульона • 400 г мякотной телятины • 5 маринованных трюфелей • 50 г шпика • 1/2 ч. л. мускатного ореха • 1/2 ч. л. мелкого перца • 1 курица, или 2 рябчика, или 1 тетерев • 2 ч. л. соли

Наскоблить ножом одну телячью печенку. В кастрюле распустить чухонское масло и поджарить нарубленную луковицу, положить туда же печенку и жарить, помешивая, пока не побелеет; тогда вынуть, отжать в салфетке, истолочь и протереть сквозь сито.

Взять мякотную телятину без жил, изрубить, истолочь, прибавить шпик, половину белого хлеба, намоченного в молоке, яйца, натертый мускатный орех, мелкий перец, сухой бульон, распущенный в четверти стакана кипятка. Все это вместе с печенкой истолочь и протереть сквозь сито, потом прибавить нарезанные маринованные трюфели.

Смазать кастрюлю или форму маслом, обложить кусочками шпика, положить в нее слой приготовленного фарша, сверху ряд нарезанной ломтями жареной курицы или дичи, потом опять слой фарша и т. д. Накрыть масляной бумагой сверху и поставить на 45—60 минут в печь. Затем остудить, выложить и положить под пресс.

Подать с соусом из сарделек или с горчичным соусом.

Раздел X
Холодная рыба

№ 1. Заливной судак

Судак (около 1,2 кг) • 25 г рыбьего клея • 1 корень петрушки • 1 морковь • 1 корень сельдерея • 2 ч. л. соли • 3 зерна английского перца • 1 лавровый лист • Сок 1 лимона

Выпотрошить и вымыть судака, но чешую не снимать, посолить его, дать полежать полчаса и поставить вариться в воде с кореньями, зернами английского перца и лавровым листом.

Когда судак поспеет, вынуть, снять кожу вместе с чешуей, убрать чешуйки, которые пристанут к рыбе. Разрезать судака на куски, вынуть кости. Кожу, чешую, кости и голову положить опять в отвар и вместе с луковицей варить на сильном огне.

Когда отвар начнет густеть, процедить, прибавить разваренный рыбий клей, влить опять в кастрюлю, прибавить нашинкованные коренья и лимонный сок, дать поспеть и вылить на судака, уложенного на блюдо. Потом вынести на лед, чтобы застыл.

Можно также снять кожу и выбрать кости из сырого судака и положить их в отвар из-под него, а далее поступать так, как сказано выше.

Подавать с тертым хреном и уксусом.

№ 2. Винегрет

6 штук картофеля • 2 селедки • 2 луковицы • 3 огурца • 1/2 кочана красной капусты • 1 ч. л. соли • 1 1/2 стакана квашеной капусты • 100 г сушеных белых грибов • 3 ст. л. соленых рыжиков и груздей • Зелень укропа

Для заливки: 2 ст. л. прованского масла • 2 ч. л. горчицы • 1 ст. л. каперсов • 5–6 ст. л. уксуса

Отварить и нарезать тонкими ломтиками картофель, мелко на-

резать селедки и луковицы, нарезать ломтями огурцы и вареную свеклу, смешать все вместе. Украсить шинкованною свежею красною и квашеною капустой, отварными грибами, солеными рыжиками, груздями.

Смешать прованское масло, горчицу, каперсы, уксус, облить этой смесью винегрет и подавать, посыпав зеленым укропом.

№ 3. Винегрет из тельного

400–600 г тельного • 800 г мелкой рыбы • 2–3 ст. л. масла скоромного или постного (для жаренья) • 1/2 ч. л. соли
Для соуса: 1–2 ст. л. прованского масла • 1 ст. л. горчицы • 1/2 ч. л. соли • 1 ч. л. мелкого сахара • 1/2 стакана уксуса • 1 ст. л. каперсов
Для украшения: 2 моченых яблока • 2 ст. л. крыжовника, вишен, смородины • Корнишоны или маленькие огурчики • 1/2 лимона • Зелень укропа

Взять тельное (см. дальше в рецепте № 6 этого раздела), нарезать ломтиками, обжарить в двух-трех столовых ложках масла, скоромного или постного, остудить. Мелкую рыбу очистить, вымыть, посолить и изжарить, снять с костей, нарезать кусочками.

Тельное и рыбу уложить на блюдо, облить следующим соусом: прованское масло растереть с горчицей, посолить, прибавить сахар, развести уксусом и положить каперсы.

Сверху украсить винегрет кружочками лимона, мочеными яблоками, крыжовником, вишнями, корнишонами или маленькими огурчиками, посолить и посыпать рубленой зеленью укропа.

№ 4. Головизна холодная

1 осетровая головизна • От 1/2 до 1 кочана свежей капусты (или 1 глубокая тарелка кислой капусты) • 3 ст. л. масла, коровьего или постного • Хрен

Сварить соленую или свежую голову осетра, выбрать кости и разрезать на куски. Нашинковать свежую капусту, положить ее на несколько минут в кипяток, откинуть на решето, отжать и обжарить в кастрюле с коровьим или постным маслом.

Когда поспеет, обложить капустой осетровую голову.

Можно также просто обложить кислой сырой капустой и украсить хреном.

№ 5. Судак под галантиром

Приготовляется так же, как осетрина под галантиром (см. рецепт № 7 этого раздела), только из судака нужно выбрать кости, вычистить и выпотрошить его.

№ 6. Тельное

Судак (около 1,6–2 кг) • 50–100 г вязиги • 100 г масла • 1 ч. л. соли

Судака очистить и вымыть, снять мясо с костей и добавить чайную ложку соли. Истолочь мясо в ступке, чтобы было как тесто. Отделить часть этого теста, обжарить, смешать с рубленой и сваренной в соленой воде вязигой, сделать шарики и обжарить их.

Остаток тельного раскатать в лепешку, положить шарики, защипать, скатать в виде шара, завязать в салфетку и кипятить в течение получаса. Потом вынуть из салфетки, положить на сковороду, облить маслом и поставить в печь, чтобы хорошенько зарумянилось. Подать холодным.

№ 7. Осетрина под галантиром

800 г осетрины • 3 зерна перца • 1–2 лавровых листа • 1 гвоздика • 1 стакан белого вина • 50–100 рыбьего клея • 1/2 лимона • 2 ст. л. оливок • 2 ст. л. каперсов • 3 моркови • Зелень петрушки

Кусок свежей или свежепросоленной осетрины очистить, вымыть, отварить, остудить, нарезать ломтями.

Приготовить галантир следующим образом. Взять отвар из-под осетрины, добавить перец, лавровый лист, гвоздику, стакан виноградного вина, смешать с рыбьим клеем, добавить несколько кружков лимона, кипятить, взбивая веничком, пока галантир не будет чистым.

Снять с огня, дать постоять немного и процедить сквозь салфетку. Если галантир нечист,

процедить еще раз и повторять процеживание до тех пор, пока не сделается чистым. Можно отцветить икрой от рыбы или кусочком льда (см. общие правила раздела I).

Влить в глубокое блюдо или форму галантир, застудить; уложить ряд оливок, каперсов, вареной моркови, зеленой петрушки, залить галантиром, застудить; уложить рыбу, опять залить и застудить.

№ 8. Сборный винегрет

Он делается точно так же, как скоромный (см. рецепт № 5 раздела IX), только вместо разного рода мяса кладут жареную свежую или отварную соленую рыбу, в том числе и селедку.

№ 9. Белорыбица разварная

0,8–1,2 кг белорыбицы • 3 зерна английского перца • 1 лавровый лист • 1 корень петрушки • 1 корень сельдерея • 1 корень порея • 3 моркови • 8 штук картофеля • 2 луковицы • 25 раковых шеек • 1–2 ч. л. соли • Разная зелень

Для соуса: 1 ч. л. горчицы • 5 ст. л. уксуса • 1 ст. л. прованского масла • Соль

Взять длинную кастрюлю со вторым решетчатым дном, положить вниз под решетку разную нарезанную зелень, коренья, лавровый лист, перец горошком. Налить воды столько, чтобы она доставала до решетки. На решетку положить вымытую и очищенную белорыбицу, накрыть крышкой и поставить вариться.

Когда рыба будет готова, уложить ее на блюдо, украсить отваренным и точеным картофелем, кореньями, очищенными вареными раковыми шейками или лимоном.

К белорыбице подают соус из уксуса, горчицы, прованского масла и соли. Или вместо соуса подают хрен со сметаной.

№ 10. Разварная осетрина

0,8–1 кг свежей осетрины • 2 луковицы • 2–3 гвоздики • 2 ч. л. соли • 3 зерна перца • Зелень петрушки и сельдерея • 1 лавровый лист.

Для соуса: Горчица • Прованское масло • Каперсы • Уксус

Вымыть свежую осетрину, вымочить в холодной и варить в соленой воде, снимая пену, а когда пена уже не будет собираться, положить цельные луковицы, в которые воткнута гвоздика, добавить зерна английского перца, зелень петрушки и сельдерея.

Когда рыба поспеет, снять с огня и дать остыть в той воде, в которой она варилась, сняв только жир. Перед обедом осетрину нарезать ломтями, уложить на блюдо и посыпать рубленой зеленью петрушки.

Соус подается к ней из горчицы, уксуса, прованского масла и каперсов или же подается тертый хрен с уксусом.

№ 11. Разварная белужина

0,8–1 кг белужины • 2 луковицы • 2–3 гвоздики • 2 ч. л. соли • 3 зерна перца • Зелень петрушки и сельдерея • 1 лавровый лист

Для соуса: Горчица • Прованское масло • Каперсы • Уксус

Взять звено хорошей белужины, отварить с зеленью и кореньями, как сказано в предыдущем рецепте. Когда сварится, вынуть, остудить и нарезать ломтями. Подавать с тертым хреном и уксусом.

№ 12. Разварная стерлядь

Стерлядь (около 1,2 кг) • Зелень петрушки • 1/2 лимона • 3 зерна английского перца • 1 корень петрушки • 1 корень сельдерея • 1 морковь • 2 ч. л. соли • 1 луковица • 2 ст. л. огурчиков • 1 ст. л. каперсов • 10 оливок

Для соуса: 2 ст. л. прованского масла • 5 ст. л. уксуса • 1 ч. л. горчицы • Соль

Вычистить, выпотрошить и вымыть стерлядь, натереть солью, дать полежать полчаса. Налить в длинную кастрюлю воды, наложить решетку, а под нее — зелень петрушки, несколько кружков лимона, перец горошком, разные коренья, нарезанные ломтями; сверху положить стерлядь, накрыть крышкой и варить полчаса.

Когда рыба поспеет, выложить ее на блюдо, обложить огурчиками, каперсами и оливками, несколькими кружками лимона.

Можно также облить соусом из горчицы, прованского масла, уксуса и соли или тертым хреном со сметаной.

№ 13. Майонез из рыбы

Крупная рыба (1–1,2 кг) • 1/2 корня сельдерея • 1/2 корня петрушки • 1/2 стебля порея • 2 моркови • 2 свеклы • 1 луковица • 8 штук картофеля • 2–3 телячьи ножки (или 800 г ершей и 20–25 г рыбьего клея) • 6 зерен английского перца • 2 лавровых листа • 2 яйца для осветления (при необходимости) • 1 ст. л. каперсов • 10 оливок • 10 корнишонов • 10 маринованных грибов • 1 кочешок латука • 1/4 кочана красной капусты • 100 г прованского масла • Рубленая зелень петрушки • Соль

Для майонеза: 2 ч. л. горчицы • 1/2 стакана уксуса • 1 ст. л. прованского масла • 1/2 ч. л. соли • 1 ч. л. мелкого сахара

Взять какую-нибудь крупную рыбу, лучше всего лососину, осетрину или белорыбицу, за неимением же — сига или судака, очистить, выпотрошить, вымыть, посолить и дать полежать 20 минут. Затем отварить до готовности в соленой воде с кореньями (взять по половине каждого), зернами английского перца, лавровым листом и остудить.

Между тем сварить два стакана скоромного галантира из телячьих ножек, как сказано в рецепте № 12 раздела IX, или из мелкой рыбы и рыбьего клея, если галантир готовится постный (см. рецепт № 7 этого раздела), процедить сквозь салфетку, отцветить, если нечистый, белками или икрой, остудить. Затем поставить на лед и взбивать веничком на льду, подливая понемногу прованское масло, пока галантир не обратится в густоватую пену.

Тогда разрезать рыбу на ломти, уложить на блюдо, украсить мелко нарезанными или точеными вареными овощами: картофелем, морковью, свеклой, а также оливками без косточек, каперсами, маринованными грибками, корнишонами, нашинкованным салатом латуком, синей капустой, облить пеной из галантира (муссом), украсить сверху тем же и зеленой петрушкой и подавать.

К майонезу подается следующий соус: растереть горчицу с прованским маслом, развести уксусом, положить соль и мелкий сахар.

▶ Примечание. Совершенно таким же образом приготовляются майонезы из жареной телятины, домашней птицы и дичи.

№ 14. Майонез из цельной вареной фаршированной рыбы

Крупная рыба (щука, форель, судак) весом 1,2–1,6 кг • 200 г белого хлеба • Молоко для вымачивания хлеба • 5 зерен английского перца • 1/2 мускатного ореха • 2 лавровых листа • Коренья (морковь, петрушка и прочие) • 3 ст. л. масла • 3 луковицы • 3 яйца • 1/2 ч. л. мелкого перца • 2 ч. л. соли

Для майонеза: как в рецепте № 13

У щуки (форели или судака) вырезать хребтовую кость, не повреждая кожу, посолить и дать полежать 15 минут.

Приготовить фарш: изрубить мясо рыбы, положить яйца, белый хлеб, намоченный в молоке, одну нарубленную и поджаренную луковицу, мелкий перец, масло, тертый мускатный орех. Все это изрубить, истолочь в ступке, протереть сквозь сито и начинить кожу.

Влить в рыбный котел восемь стаканов воды, положить две очищенные луковицы, лавровые листья, зерна английского перца, коренья (по одной штуке), соль, положить рыбу (вода должна покрывать ее только до половины), накрыть крышкой и варить до готовности (полчаса), но чтобы не разварилась.

Затем выложить рыбу на блюдо, остудить на льду, украсить гарниром, облить майонезом, приготовленным, как сказано в рецепте № 13 этого раздела.

Подавать с горчичным или сборным соусом.

Раздел XI
Пироги, пирожки, расстегаи, кулебяки, паштеты

ОБЩИЕ ПРАВИЛА

1. Муку как для пирогов, так и для всякого рода печений, нужно брать самую лучшую и сухую.

2. Если тесто приготовляется на дрожжах, то оно должно ставиться с вечера (можно ставить и часов за пять до обеда, но в таком случае нужно взять вдвое больше дрожжей). Лапшовое, слоеное и рассыпчатое тесто делается за час до приготовления пирога и прочего.

3. Дрожжи берутся сухие или жидкие.

4. Масло нужно брать жирное, и для слоеного теста промывать его в нескольких водах и крепко отжимать.

5. Печения из опарного теста должны быть поставлены в жарко истопленную печь, из слоеного же и заварного теста — в легко истопленную печь.

ПРИГОТОВЛЕНИЕ РАЗНЫХ РОДОВ ТЕСТА

а) Тесто на дрожжах.

Его лучше всего ставить на опаре. Опара приготовляется на жидких и сухих дрожжах следующим образом. Взять дрожжей жидких в пропорции одна чайная ложка на каждые 400 граммов муки, сухих же — от 4 до 6 граммов (кусок величиной с лесной орех), развести их двумя столовыми ложками тепловатой воды, влить в какую-нибудь небольшую

посудину, всыпать три столовые ложки крупитчатой муки, хорошенько размешать и разболтать, накрыть тряпочкой, поставить в теплое место на 5—10 минут. Когда опара начнет бродить, то есть поднимется, вылить ее в горшок, в котором хотят ставить тесто, развести пятью стаканами тепловатой воды, всыпать понемногу, мешая веселкою, 600 граммов крупитчатой (лучше — просеянной) муки, хорошенько побить веселкою минуты три, чтобы не было комков, посыпать сверху немного мукой и поставить в теплое место, накрыв горшок полотенцем или салфеткой и подложив под него тряпку или полотенце, чтобы он стоял на мягком.

Утром, когда тесто окажется поднявшимся и пузырящимся, выбить его хорошенько веселкой, положить полторы-две чайные ложки соли, влить 100—200 граммов растопленного коровьего или постного (горчичного, прованского, макового) масла, подсыпать остальную муку, хорошенько выбивая веселкой, добавить два-три яйца (белки можно взбить в пену), опять бить веселкой или месить руками, пока тесто не станет отставать от веселки или рук, посыпать сверху немного мукой, накрыть полотенцем и поставить опять в теплое место на час-два, чтобы поднялось. Когда тесто поднимется, вывалить его на стол, посыпанный мукой, раскатать и сделать из него пирог, пирожки или кулебяку, как будет сказано ниже.

б) Тесто крутое, или лапшовое.

Разбить в какой-нибудь посуде одно яйцо, добавить три четверти стакана воды, чайную ложку соли, подсыпать, мешая, понемногу 600 граммов муки, замесить крутое тесто. Выложить на стол, посыпанный мукой, повалять еще в муке, раскатать и дальше поступать так, как будет сказано ниже.

в) Слоеное тесто.

Приготовить не слишком крутое лапшовое тесто, свалять его в комок, разрезать на четыре, восемь, шестнадцать кусков (сколько желают иметь слоев в тесте), раскатать каждый в лепешку, посыпать слегка мукой, уложить на него маленькие кусочки хо-

лодного и отжатого коровьего масла, накрыть другой лепешкой из теста, уложить и на нее кусочки масла и т. д., за исключением самой верхней лепешки, на которую не кладется масло. Можно поступать и так: раскатать тесто в пласт толщиной в полпальца, уложить одну половину его кусочками масла, накрыть другой, потом уложить опять сверху половину кусочками масла, перегнуть, накрыть остальной половиной, раскатать опять в пласт толщиной в палец, уложить половину его кусочками масла и т. д. Если приготовляется постное слоеное тесто, то таким же образом смазывается каким-либо постным маслом раскатанное в палец толщиной опарное или лапшовое тесто.

На 400 граммов муки берется 200—400 граммов коровьего чухонского или 100—200 граммов постного масла. Если пироги и прочее будут приготовляться не тотчас же, то слоеное тесто нужно вынести в прохладное место (летом — на ледник). Летом лучше и делать их на леднике.

г) Заварное тесто.

Вскипятить в кастрюле пять стаканов воды с чайной ложкой соли, положить 200—400 граммов коровьего или постного масла (в таком случае надо взять четыре стакана воды), влить рюмку рома или спирта, дать закипеть ключом и всыпать, непрерывно мешая веселкой и не снимая с огня, 800—1000 г крупитчатой муки, чтобы заварилось крутое тесто. Подержать на огне, мешая веселкой, минуты две-три, пока тесто не будет отставать от кастрюли. Снять с огня, дать остыть, вбить два-три яйца, хорошенько размешать, выложить на стол, посыпанный мукой, и приготовить пирог и прочее, как сказано ниже.

ПРАВИЛА ПРИГОТОВЛЕНИЯ ПИРОГОВ, ПИРОЖКОВ, КУЛЕБЯК И ПРОЧЕГО

Выложив тесто (опарное и заварное) на стол или доску, раскатать его валиком или скалкой в пласт толщиною в палец,

если оно опарное, или полпальца — заварное, и еще тоньше слоеное и лапшовое, и затем поступать, как сказано ниже, смотря по тому, готовится ли пирог, кулебяка, пирожки или расстегаи.

а) Если приготовляется обыкновенный *пирог,* то нужно раскатать тесто в продолговатый пласт такой величины, чтобы он был шире листа, на котором будет печься, на полторы-две ладони и длиннее его на ладонь, сложить его вчетверо на четырехугольный лист, на середину, расправить, положить приготовленную начинку, загнуть на нее тесто и защипать пальцами посредине и по концам. Затем смазать разбитым яйцом или постным маслом и поставить на полчаса в довольно жаркую печь пирог из опарного и на 15—20 минут в менее жаркую печь — из слоеного или заварного теста. Когда пирог зарумянится с одного конца, то можно повернуть его другим. Можно посыпать сверху пирог мелко истолченными сухарями. Когда пирог испечется (что можно узнать по тому, что тесто не пристает к воткнутому ножу), то вынуть его, переложить на блюдо и накрыть на 5—10 минут салфеткой, чтобы он отмяк.

б) *Кулебяка* приготовляется следующим образом. Разрезав тесто на две части, одну немного побольше другой, раскатать одну из них в круглую лепешку или пласт в палец толщиной (из слоеного потоньше) и пальца на два побольше круглой сковороды, на которой должна печься кулебяка; сложить ее вчетверо и переложить на круглый лист или сковороду, смазанные маслом, расправить, наложить начинки, покрыть другим пластом, раскатанным из меньшей половины теста величиной в лист или сковороду, защипать, смазать яйцом или маслом и далее поступать, как с пирогом (см. выше).

в) *Пирожки* делаются различной формы: продолговатые, круглые, в виде книжки, рога изобилия и пр. В первом случае, раскатав тесто в полпальца толщиною (лапшовое еще тоньше), наложить вдоль одного края его,

на два-три пальца от него, приготовленную начинку кучками по две чайные или одной столовой ложке в каждой, на расстоянии двух пальцев друг от друга. Накрыть их тестом (узким краем), обдавить каждую кучку пальцем и вырезать резцом, стаканом или чашкой полулунные пирожки. Затем обровнять резцом или ножом край теста, опять так же наложить фарш и т. д. Обрезки можно перекатать и наделать из них таким же образом пирожков, если есть фарш.

Для круглых пирожков нужно потолще раскатать тесто, вырезать из него стаканом или чашкой кружочки. На половину кружочков положить фарш, накрыть остальными кружочками, несколько обдавить с краев пальцем, чтобы кружочки пристали друг к другу.

Приготовляя пирожки в виде книжки, нужно потолще раскатать тесто, нарезать продолговатыми четырехугольными кусочками шириною в три пальца и длиною в пять, на одну половину наложить начинку, накрыть другою, обдавить по краям.

Если пирожки приготовляются в виде рога изобилия, то нарезать тонко раскатанное тесто полосками в палец шириною, навернуть каждый из них на клиновидную палочку и наполнить фаршем.

Пирожки можно печь в печке или жарить в масле. В первом случае их нужно смазать яйцом или постным маслом и, кто желает, обсыпать мелко истолченными сухарями, положить на лист и поставить на 15 минут в нежарко истопленную печь. Во втором — раскалить на плите сковороду, распустить на ней масло, положить пирожки (так жарятся только полулунные пирожки) и обжарить их на довольно сильном огне с обеих сторон. Когда пирожки будут готовы, то переложить их на блюдо и накрыть салфеткой, чтобы отмякли.

г) Для приготовления *расстегаев* нужно раскатать тесто в продолговатые яйцевидные (овальные) лепешки величиною в кисть руки, положить на середину фарш, защипать края так, чтобы середина над фаршем оставалась незащипанною, смазать яйцом или постным маслом, положить

на лист, вымазанный маслом, и поставить на 20—30 минут в печь. Далее поступать, как сказано выше.

ФАРШИ (ИЛИ НАЧИНКИ) ДЛЯ ПИРОГОВ И ПИРОЖКОВ

Общие правила

1. Ниже назначена пропорция начинок для больших пирогов (за исключением некоторых рецептов, при которых объяснено, что пропорция назначена для пирожков). Для последних берется вдвое меньше начинки, чем для пирогов.

2. Начинку нужно класть на тесто остывшею.

3. Иногда кроме начинки кладутся цельная или разрезанная на куски рыба, нарезанная ломтиками говядина, снятое с костей мясо домашних птиц и прочее. Рыбу нужно предварительно отварить или изжарить до полуготовности, мясо же брать вареное или жареное. Кроме того, начинка сверху посыпается рублеными крутыми яйцами.

№ 1. Фарш (или начинка) из говядины

600–800 г вареной или жареной говядины • 2–3 луковицы • 3–4 крутых яйца • 1 ч. л. соли • 1/2–1 ч. л. мелкого перца • 1–2 ст. л. чухонского масла

Вареную говядину изрезать на небольшие кусочки, прибавить нарезанный ломтиками лук, крутые яйца, мелкий перец и соль. Все это изрубить как можно мельче и смешать с растопленным чухонским маслом.

№ 2. Телячья начинка

600–800 г вареной или жареной телятины • 1 ст. л. зелени петрушки • 2 яйца • 2 ст. л. масла • 1 ч. л. соли • 1/2 ч. л. мелкого перца • 2–3 луковицы • 100 г белого хлеба • 50 мл молока

Вареную или жареную телятину нарезать маленькими кусочками, обжарить с зеленою петрушкой и рубленым луком. Вынув из масла упомянутые вещества, прибавить к ним намоченный в молоке и выжатый хлеб, яичные желтки, соль, положить мел-

кий перец или натертый мускатный орех, подлить масла, в коем обжаривалась телятина, и все это изрубить, а потом истолочь.

№ 3. Начинка из гречневой каши

400 г гречневой крупы • 100 г масла • 2–3 яйца • 1 ч. л. соли

Заварить гречневую кашу, размешать, посолить, поставить часов на пять в печь. Когда поспеет и зарумянится, выложить на блюдо, размять, чтобы не было комков, положить масло и рубленые крутые яйца, размешать, остудить.

№ 4. Начинка (или фарш) из телячьего или бараньего ливера

Телячьи или бараньи печенка, легкое и сердце (или 2 легких и 2 сердца) • 4 луковицы • 100 г чухонского масла • 1½ ч. л. соли • ½–1 ч. л. мелкого перца

Отварить в соленой воде очищенные телячьи или бараньи печенку, легкое и сердце (или два легких и два сердца, без печенки), мелко изрубить с крошеным луком, поджарить в коровьем масле и приправить солью и перцем.

№ 5. Начинка из домашней птицы для пирожков

1 курица • Рубленая зелень петрушки • 2 яйца • До 2 ст. л. чухонского масла • 1 ч. л. соли • ½ ч. л. натертого мускатного ореха • ½ французской булки (100 г) • ½ стакана сметаны

Взять жареную или вареную курицу, снять мясо с костей, вынуть жилы, обжарить в чухонском масле, остудить, изрубить, вбить яйца, положить тертый мускатный орех, рубленую зелень петрушки и сметану, размешать с мякишем половины французской булки, порубить еще.

№ 6. Начинка из рыбы

Судак или щука (1,2 кг) • 100 г масла • 1 ч. л. соли • 1 французская булка (200 г) • ½–1 ч. л. мелкого перца • 2 луковицы (кто желает)

Выпотрошив и вымыв рыбу, снять мясо с костей, нарезать кусочками, мелко изрубить, изжарить

в масле, посолить, посыпать рубленой зеленью, положить мелкий перец. Смешать с мякишем французской булки, порубить еще. Можно положить изрубленный и поджаренный в масле лук.

№ 7. Начинка из вязиги

100–200 г вязиги • 2 луковицы • 3 зерна английского перца • 1 лавровый лист • 3 ч. л. соли • 3–4 крутых яйца • 2 ст. л. масла коровьего или постного • Зелень петрушки • 1/2 ч. л. мелкого перца (по желанию)

Вязигу замочить с вечера в воде, утром отварить до мягкости в соленой воде с луковицами, английским перцем и лавровым листом. Вынуть, откинуть на решето, промыть холодной водой, мелко изрубить, смешать с крупно изрубленными яйцами, маслом, зеленью петрушки и, кто любит, мелким перцем.

№ 8. Начинка из свежей капусты с яйцами

1–1 1/2 среднего кочана капусты • 3–5 яиц • 1/2–1 ч. л. мелкого перца • 2–3 ст. л. чухонского масла • Горсть зеленого лука или укропа • 1 ч. л. соли

Мелко нашинковать капусту, посолить, дать так полежать с четверть часа, отжать. Распустить на сковороде чухонское масло, сложить туда же капусту, поджарить ее до мягкости, не давая подрумяниться, дать остыть, смешать с мелко изрубленными яйцами, зеленым луком или укропом и мелким перцем.

№ 9. Начинка из кислой капусты, скоромная и постная

3 стакана шинкованной кислой капусты • 1 луковица • 100–200 г постного или коровьего масла • 1/4 ч. л. мелкого простого перца • 1/4 ч. л. мелкого английского перца • 4 яйца (или 50 г сушеных белых грибов) • 1 ч. л. соли • Жирный бульон

Поджарив в кастрюле на постном или коровьем масле мелко нарубленную луковицу, положить туда шинкованную капусту, простой и английский перец, накрыть крышкой и тушить до мягкости, часто мешая и подливая понемногу жирного бульона.

Выложив из кастрюли, смешать капусту с отваренными и мелко изрубленными белыми грибами или с изрубленными яйцами.

№ 10. Начинка из моркови с яйцами

20 штук моркови • 5 яиц • 1 ч. л. соли • 50 г коровьего или постного масла

Морковь очистить, мелко изрубить, смешать на сковороде, не давая поджариться, с коровьим или постным маслом, положить туда мелко изрубленные крутые яйца, посолить и размешать.

№ 11. Начинка из риса с курицей для курника

1 курица • 3–5 крутых яиц • 1/2 ч. л. мускатного ореха • 1 1/2 ст. л. коровьего масла • 1 ч. л. соли • 1 1/2 стакана риса

Отварив курицу, снять мясо с костей, нарезать небольшими кусочками, поджарить в коровьем масле. Смешать с разварным рисом, подлить ложки три куриного бульона, посолить, прибавить мелко изрубленные крутые яйца, мускатный орех и размешать.

№ 12. Начинка из сушеных и свежих грибов

200 г сушеных грибов (или 600 г свежих) • 1 луковица • 1/2 ч. л. русского перца • 3 ст. л. постного масла (или 2 ст. л. коровьего) • 1 ч. л. соли

Сушеные или свежие грибы отварить в соленой воде до мягкости. Луковицу мелко изрубить и поджарить в масле, смешать с грибами и поджарить все вместе, посолить, всыпать мелкий русский перец и размешать.

№ 13. Начинка из шампиньонов для пирожков

10 шампиньонов • 1 телячьи мозги • 2 1/2 ст. л. масла • 1 1/2 ч. л. соли • 1/4 ч. л. мелкого перца • 1/2 ч. л. натертого мускатного ореха • 1/4 стакана муки • 1/2 стакана сливок или молока • Зелень петрушки

Очистить шампиньоны, отварить их, нарезать кусочками,

прибавить телячьи мозги, очищенные и слегка поджаренные в кастрюле в столовой ложке масла или, лучше, отваренные (пять минут) в кипятке. Положить натертый мускатный орех, мелкий перец и соль, хорошенько размешать.

Залить бешамелем, который приготовляется так: муку вскипятить в масле (полторы ложки), развести сливками или молоком. Размешать, посыпать зеленью петрушки.

№ 14. Паштет из дичи и печенки

800 г телячьей печенки • 4 яйца • 600 г чухонского масла • 1/4 ч. л. мелкого перца • 1 1/2 ч. л. соли • 2 рябчика (или 1 тетерев) • 800 г муки • 100 г шпика • 1 белая булка (200 г)

Для соуса: 1 ст. л. муки • 1 ст. л. масла • 1 ст. л. каперсов • 1 ст. л. оливок • 1 ст. л. корнишонов • 1 ст. л. уксуса • 1 кусок жженого сахара

Приготовить фарш из печени, изрубив ее с мякишем булки, мелким перцем, половиной чайной ложки соли, двумя яйцами и двумя столовыми ложками чухонского масла. Заправить дичь, нашпиговать и изжарить вполовину; потом снять с костей, изрезать кусками.

Сделать из теста паштетную форму, положить слой фарша, а на него дичь, сложив ее так, чтобы она имела вид целой птицы; закрыть фаршем, положить крышку из теста, как сказано выше, испечь. В печке надобно держать этот паштет полтора часа.

Когда поспеет, снять крышку, очистить фарш сверху, чтобы видна была дичь; влить соус, накрыть снятою крышкою и подавать.

Соус (или подлива) готовится следующим образом: поджарить ложку муки в ложке масла, развести стаканом бульона, вскипятить, положить оливки, каперсы, корнишоны, уксус, кусок жженого сахара, вскипятить.

Кроме дичи в паштет кладут жареную домашнюю птицу, ветчину, жареные сосиски, яичницу, нарезанную кусочками. Можно приготовлять таким же образом и постные паштеты из рыбы.

№ 15. Паштет из курицы

2 курицы • 200 г чухонского масла • 2 яйца • 1/2 французской булки (100 г) • Кореньев по 1 штуке • 4 кислых или свежих яблока • 1/4 ч. л. натертого мускатного ореха • 1/2 ч. л. корицы • 2 ч. л. сахара • 1/2 лимона • 1 рюмка хереса • 2 ч. л. соли • 1/2 ст. л. муки

Снять у кур белое мясо, а остальное сварить в кастрюле, прибавив соль и коренья по одной штуке. Изрубить белое мясо с размоченным белым хлебом и 100 граммами чухонского масла, положить яйца, тертый мускатный орех, хорошенько смешать, истолочь в ступке, сделать из фарша фрикадели и сварить в курином бульоне.

Нарезать ломтями свежие или моченые яблоки, пересыпать сахаром, мелкой корицей и цедрой лимона. Положить по краям блюда вырезанный из слоеного или заварного теста круг, в середину его — ряд яблок, потом ряд курицы и фрикаделей, затем опять ряд яблок и закрыть кругом из того же теста, сделать на крышке украшения, смазать яйцом и поставить на один час в печь.

Между тем вскипятить пол-ложки муки в ложке чухонского масла, развести половиной стакана куриного бульона, влить херес, положить половину чайной ложки сахара и сок из половины лимона. Дать раза два вскипеть, влить в паштет, вырезав для этого в крышке отверстие, и затем опять закрыть последнее.

Соус вливается перед подачей на стол, но можно подать его и отдельно в соуснике.

№ 16. Паштет из лососины

600 г лососины • 400 г щуки • 1/2 стакана французского вина • 200 г масла • 6 зерен английского перца • 6 зерен простого перца • 1/2 французской булки (100 г) • Молоко для размачивания булки • 2 лавровых листа • 4 яйца • 1 1/2 ст. л. уксуса • 1/2 стакана бульона • 1 1/2 луковицы • Соль • Слоеное тесто

Очистить от костей лососину, посолить и поджарить в двух-трех столовых ложках масла

вместе с изрубленной луковицей, накрыв крышкой.

Когда обжарится, влить французское вино, уксус, полтора стакана воды, положить три зерна простого и столько же английского перца, два лавровых листа, половину чайной ложки соли, вскипятить с рыбою и затем ее вынуть.

Взять три яйца, испечь из них жидкую яичницу, смешать с двумя столовыми ложками масла, мелко нарубленной и изжаренной половинкой луковицы, белым хлебом, намоченным в молоке и отжатым, прибавить бульон, вбить яйцо, посолить.

Очистив от костей щуку, посыпать английским и простым перцем (по половине чайной ложки), посолить, положить в яичницу, истолочь и протереть все сквозь сито.

Положить в паштетную форму рядами: ряд фарша, ряд лососины, облить соусом из-под лососины, накрыть крышкой из слоеного теста, смазать яйцом и поставить в печку на один час. К этому паштету подается крепкий соус.

№ 17. Паштет из раков с зеленым горошком

50 раков • 3 стакана сливок или молока • 1 ст. л. муки • 4 ломтика лимона • 3 стакана зеленого горошка • 3 стакана бульона • 1 ст. л. ракового масла • Рыбный фарш • Слоеное тесто (см. в начале этого раздела «Приготовление разных родов теста», пункт «в»)

Взять очищенные шейки и лапки вареных раков.

Приготовить рыбный фарш, как сказано в рецепте № 6.

Разварить в двух стаканах сливок или молока зеленый горошек. Положить на глубокое блюдо ряд горошка, потом ряд раковых шеек и раковых клешней, затем ряд рыбного фарша, опять ряд горошка и т. д.

Нарезать из слоеного теста полоски в четыре пальца шириною, у которых с одной стороны вырезать фестоны, уложить над фаршем наискось, так, чтобы фестоны одной полоски приходились бы над ровным краем другой, сделать сверху из полосок же кокарду, смазать яйцом и поставить на один час в печь.

Вскипятить ложку муки в ложке ракового масла, развести тремя стаканами бульона, прибавить стакан сливок, ломтики лимона, опять вскипятить. Влить в паштет стакан этого соуса, остальное подать отдельно в соуснике.

№ 18. Паштет из рыбы

1,6 кг рыбы (щуки, карпа, судака, лососины или свежей семги) • 1 французская булка (200 г) • Молоко для размачивания булки • 100 г чухонского масла • $^{1}/_{2}$ мускатного ореха • 2 луковицы • 3 яйца • $^{1}/_{4}$ ч. л. мелкого перца • 2 ст. л. каперсов • 2 ст. л. оливок • 2 ст. л. корнишонов • 2 ст. л. маринованных грибов • Соль • Слоеное или заварное тесто

Выбрать кости у рыбы, посолить (чайная ложка соли), истолочь мясо и смешать с размоченным в молоке белым хлебом, прибавить четыре столовые ложки чухонского масла, два яйца и опять потолочь.

Разделить фарш на две половины: из одной наделать фрикаделей и обжарить их в масле, другую же изрубить с луком, перцем и мускатным орехом.

Приготовить слоеное или заварное тесто, раскатать из него пласт в палец толщиною и положить в глубокое блюдо, дно которого покрыто масляной бумагой. На тесто положить слой фарша, затем ряд оливок, маринованных грибков, корнишонов и каперсов, ряд фрикаделей, положить еще ряд каперсов и пр. и все это покрыть фаршем, а сверху — кругом из теста, смазанного сверху яйцом.

Подается с горчичным, сборным или сардельным соусом.

Если желают приготовить постный паштет, то не следует класть яиц и вместо чухонского положить ореховое или маковое масло.

Раздел XII

Блины, оладьи и прочие мучные кушанья

№ 1. Гречневые блины

600 г гречневой муки • 600 г пшеничной муки • 2 ст. л. масла • Масло для смазывания сковороды • 1 ч. л. соли • 2 яйца

Поставить с вечера тесто на опаре из пшеничной муки и два литра тепловатой воды, как сказано в разделе XI («Приготовление разных родов теста», пункт «а»).

Утром, когда тесто поднимется, перебить все веселкой, обварить стаканом кипятка, всыпать гречневую муку, вбить яйца, положить масло и соль, хорошенько выбить веселкой и поставить на два-три часа в теплое место. Когда тесто поднимется, выбить опять, дать взойти.

Раскалить маленькие сковородки и печь, смазывая их перед каждым блином маслом.

№ 2. Гречневые блины пополам с пшеничною мукою на молоке

600 г пшеничной муки • 600 г гречневой муки • 4 ч. л. жидких или 8,5 г сухих дрожжей • 1–1$^{1}/_{2}$ ч. л. соли • 200 г русского масла • 100 г чухонского масла • 2,1 л молока • 3 яйца

Поставить с вечера опару из пшеничной муки с жидкими или сухими дрожжами и шестью стаканами молока (см. раздел XI, «Приготовление разных родов теста», пункт «а»).

Утром, когда тесто поднимется, выбить его веселкой, распустить 100 граммов масла, вылить его в опару, подбить гречневой муки, вбить яйца (белки можно взбить в пену), посолить и влить еще молока, чтобы было довольно жид-

кое тесто. Поставить в теплое место на два-три часа.

Когда тесто поднимется, печь блины на маленьких сковородках, смазывая их маслом.

▶ Примечание. К этим блинам, как и в предыдущих рецептах, подаются чухонское или сливочное масло и икра, семга или сметана.

№ 3. Пшеничные блины

1,25 л молока • 800 г пшеничной муки • 1 ч. л. соли • 3 ч. л. дрожжей • 2 яйца • 100 г чухонского масла • Русское масло для жаренья

Смешать литр теплого молока, дрожжи и половину муки, дать подняться, положить два желтка, соль, подбить оставшуюся муку, развести оставшимся молоком, прибавить взбитые в пену белки, растопленное чухонское масло. Размешать осторожно, дать подняться и печь на маленьких сковородах, смазывая их маслом.

№ 4. Молочные тонкие блины

4–5 яиц • 700 мл молока • 1 ч. л. соли • 400 г пшеничной муки • 100 г русского масла

Смешать яйца с солью и стаканом муки, подлить стакан молока, хорошенько размешать. Подсыпать еще стакан муки, опять размешать, чтобы не было комков, подбавить еще стакан муки и еще стакан молока, хорошенько размешать.

Печь из этого теста блины, наливая его понемногу ложкой на сковороду, намазанную маслом так, чтобы блины были тонкие, как лист писчей бумаги.

Когда все тесто будет перепечено, то обрезать у блинов обгорелые края, намазать каждый блин маслом, сложить вчетверо и подавать.

▶ Примечания: 1) Эти блины подают с сахаром и мелкой корицей или вареньем. 2) Их можно также начинять фаршем из говядины (см. ниже, рецепт № 5) или творогом, приготовленным как для вареников (см. рецепт № 6). Для этого нужно испечь блины, положить на середину каждого столовую ложку фарша или творога, свернуть в трубочку, загнуть концы, обжарить еще раз в масле, обсыпать мелкими сухарями.

№ 5. Блины с говядиной

2 стакана муки • 6 яиц • 750 мл молока • 1/4 ч. л. мелкого перца • 400–600 г вареной или жареной говядины • 200 г масла • 2 луковицы • Зелень петрушки

Приготовить тесто и испечь молочные блины, как сказано в предыдущем рецепте.

Изрубить вареную или жареную говядину, смешать с двумя столовыми ложками растопленного масла и мелко изрубленным луком, прибавить три крупно изрубленных вареных яйца, мелкий перец, соль, зеленую петрушку, смешать, поджарить, класть на блины, свернув их трубочкой или сложив книжкой, и опять поджарить с обеих сторон.

№ 6. Блины с творогом

400 г творога • 1/2 стакана сметаны (или 2 ст. л. сливочного масла) • 1/2 стакана сахара • 1/2 ч. л. корицы • 1 яйцо • 1/2 стакана коринки или кишмиша (кто желает)

Для теста: см. рецепт № 4

Приготовить блины, как сказано в рецепте № 4.

Протереть сквозь решето творог, хорошо отжатый под гнетом, смешать его со сливочным маслом или сметаной, прибавить яйцо, корицу, сахар и, кто желает, коринку или кишмиш. Размешать, класть на блины, складывая их трубочкой или книжкой и обжарить. К ним подавать сахар и корицу.

№ 7. Каравай из блинов с яблоками

10 яблок • 200 г столового масла • 1 стакан сахара • 2 гвоздики • 1/2 стакана варенья • 1/2 ч. л. корицы

Для теста: см. рецепт № 4

Приготовить блины, как сказано в рецепте № 4.

Нарезать ломтиками яблоки и маленькими кусочками столовое масло. Истолочь сахар, гвоздики и корицу. Взять обмазанную маслом и обсыпанную мелкими сухарями кастрюлю, положить на дно ее блин, на него кусочки яблок и масла, посыпать приготовленною смесью, затем положить опять блин и т. д.

Держать в печи полчаса, потом выложить на блюдо.

▶ Примечание. Если кто пожелает огарнировать меренгою, то из четырех белков взбить пену, смешать с тремя столовыми ложками сахара, обмазать этим каравай, поставить на несколько минут в печь, вынуть и украсить вареньем.

№ 8. Блины в виде каравая

Приготовить блины, как сказано в рецепте № 4.

Каравай этот можно делать с печенкою, с фаршем из мяса, творогом, крутою гречневою кашей, рисовою или рассыпчатою манною. В обмазанную маслом и обсыпанную сухарями кастрюлю класть рядами: блин, на него одно из вышепоименованных веществ, приготовленных, как сказано в своем месте, потом опять блин и т. д.

Поставить на 30—45 минут в печь, потом выложить и подавать на блюде.

№ 9. Скороспелые блины

3 стакана пшеничной муки • 200 г сливочного масла • 1 ч. л. соли • 5 яиц • 750 мл кислого молока

Положить в горшок или другую глубокую посудину муку, яичные желтки, столовую ложку масла, вымешать хорошенько, развести кислым молоком, чтобы вышло довольно жидкое тесто. Прибавить взбитые в пену белки и соль, размешать осторожно и печь блины на сковороде, смазанной маслом.

Подавать с маслом или мелким сахаром.

№ 10. Оладьи на опаре

800 г пшеничной муки • 200 г сливочного масла • 1 ч. л. соли • 3 яйца • 1,25 л молока • 2 ч. л. дрожжей

Поставить опару из 400 граммов муки, литра молока и дрожжей. Когда тесто поднимется, положить яйца и две столовые ложки масла, добавить еще 400 граммов муки, дать подняться, развести оставшимся молоком, положить соль, дать еще раз подняться и печь на сковороде в масле.

Подавать с сахаром или вареньем.

№ 11. Оладьи из манной крупы

2 стакана пшеничной муки • 750 мл молока • 200 г манной крупы • 1 ч. л. соли • 3 яйца • 200 г чухонского масла

Растереть добела или растопить 100 граммов масла, всыпать стакан муки, развести двумя стаканами молока, положить соль и крутую манную кашу на молоке (шесть столовых ложек), смешать со 100 граммами масла. Прибавить яйца, оставшееся молоко и стакан муки, чтобы вышло довольно жидкое тесто, из которого испечь оладьи на сковороде в масле.

Подавать с сахаром или вареньем.

№ 12. Миндальные оладьи

2 стакана муки • $^{1}/_{2}$ стакана сахара • 200 г сладкого миндаля • 6 яиц • 500 мл молока • 100 г чухонского масла

Замесить довольно крутое тесто из молока, муки и сахара. Истолочь обваренный и очищенный миндаль, смешать с тестом, прибавить яйца, развести молоком, чтобы было довольно жидкое тесто, и испечь на маленьких сковородах оладьи.

Подавать с сахаром и корицей.

№ 13. Оладьи с яблоками

4 яйца • 350–400 мл сливок или молока • 5 яблок • 250 мл белого виноградного вина • 4 ст. л. сахара для теста • 400 г муки • 200 г сливочного масла • 1 ч. л. соли • Сахар для яблок

Растереть яйца с сахаром и 100 граммами масла, подсыпать всю муку, прибавить соль, влить столько сливок, чтобы образовалось густоватое тесто. Нарезать ломтями очищенные яблоки, обсыпать сахаром и положить в вино на два часа, затем вынуть.

На сковороду с распущенным маслом класть тесто ложкою, на тесто положить по ломтику яблока и жарить, переворачивая, оладьи.

№ 14. Оладьи заварные

750 мл молока • 3 яйца • 5 зерен кардамона • 200 г сливочного масла

• 100 г коринки • 1/2 ч. л. корицы • 1/2 стакана мелкого сахара • Пшеничная мука

Вскипятить молоко с сахаром и тремя ложками масла, посолить, всыпать муки столько, чтобы заварилось крутое тесто. Когда тесто начнет отставать от кастрюли, остудить его, добавить в него желтки и взбитые белки, измельченную корицу, кардамон, коринку, посолить, размешать и изжарить в масле на сковороде оладьи.

№ 15. Оладьи постные

3 стакана муки • 1 ст. л. дрожжей • 2 стакана воды или миндального молока • Соль • 100 г макового, горчичного или орехового масла • Миндаль и коринка (кто желает)

Взболтать две столовые ложки макового или орехового масла и дрожжи в двух стаканах теплой воды, всыпать муку, замесить тесто, взбить веселкой, поставить в теплое место и держать, пока не поднимется.

Жарить на сковороде в маковом или ореховом масле.

В тесто можно прибавить коринку и толченый миндаль. Вместо воды можно взять миндальное молоко.

№ 16. Оладьи из риса

350–400 мл молока • 200 г сливочного масла • 1 ст. л. дрожжей • 1 стакан риса • 5 яиц • 1 ч. л. соли

Отварить рис в молоке, прибавить три столовые ложки масла, посолить, размешать. Когда остынет, положить три желтка, пену из пяти белков, ложку дрожжей, хорошенько размешать (за полтора часа до готовки), дать подняться и испечь на сковороде оладьи.

Подавать с сахаром и корицей.

№ 17. Гренки из белого хлеба

500 г черствого белого хлеба • 3 ст. л. сливочного масла • 1/2 ч. л. корицы • 500 мл молока • 1/4 стакана сахара • 1 яйцо

Разрезать на ломти черствый белый хлеб, помочить в подслащенном молоке, обвалять в яйце.

Растопить масло на сковороде и поджарить в нем ломти хлеба. К ним подавать варенье или сахар с корицей.

№ 18. Ватрушки

2 ст. л. чухонского масла • 600 г творога • 2 яйца • 3/4 стакана сметаны • 1/2 стакана мелкого сахара • 4 яйца • 1/2 ч. л. соли • Дрожжевое тесто • 100 г кишмиша (кто желает) • Корица (кто желает)

Приготовить тесто на дрожжах, как сказано в разделе XI («Приготовление разных родов теста», пункт «а»).

Выложив тесто, раскатать его кружками в палец толщиною, положить посредине каждого кружка творог, растертый с яйцом, сметаною, солью, мелким сахаром и столовой ложкой масла. Загнуть края, защипать, смазать яйцом, положить на сковороду, смазанную маслом, и поставить на 15—20 минут в печь. Творог приготовляется как для вареников.

Можно посыпать ватрушки сверху толченой корицей и положить в творог перебранный и перемытый кишмиш.

▶ Примечание. Таким же образом приготовляется большая ватрушка.

№ 19. Вареники с творогом

2 яйца • 400–600 г муки • 400–600 г творога • 1 1/2 ч. л. соли • 1/2 стакана сметаны • 200 г сливочного масла • 1/3 стакана мелкого сахара

Замесить крутое лапшовое тесто из муки, яйца, чайной ложки соли и половины стакана холодной воды. Раскатать как можно тоньше и нарезать косыми четырехугольниками.

Положить под гнет творог. Когда вода вытечет, растереть его с яйцом, сметаною, сахаром, половиной чайной ложки соли. Творог накладывать на середину каждого четырехугольника и защипывать так, чтобы вышли треугольники.

Между тем вскипятить соленую воду и, когда она будет кипеть белым ключом, опустить в нее вареники и держать до тех пор, пока не всплывут наверх. Тогда выбрать их дуршлагом,

сложить в глубокое блюдо и облить маслом и сметаной.

Можно не резать тесто на четырехугольники, а, раскатав в тонкий пласт, наложить творог кучками вдоль одного края на два пальца от него, накрыть тестом, обжать каждую кучку, вырезать резцом или стаканом полулунные пирожки (см. в разделе XI «Правила приготовления пирогов, пирожков, кулебяк», пункт «в»).

№ 20. Колдуны

300 г почечного жира • 300 г говядины • $1^1/_2$ ч. л. соли • $^1/_4$ ч. л. мелкого перца • 1 ст. л. рубленой зелени петрушки • 1–2 луковицы • 100–200 г сливочного масла • Лапшовое тесто

Взять поровну почечного жира и мякотной говядины, вынуть жилы и перепонки, изрубить все вместе, всыпать неполную чайную ложку соли, перец, рубленую зелень петрушки, прибавить мелко искрошенный лук и обжарить в масле (можно и не жарить).

Замесить на одном яйце лапшовое тесто, раскатать его потоньше, нарезать косых четырехугольников, положить на каждый приготовленный фарш, защипать, чтобы вышли треугольники.

Когда будут сделаны все колдуны, вскипятить соленую воду и опустить в нее колдуны, дать им поспеть, а когда всплывут наверх, откинуть на решето, сложить на блюдо и облить растопленным маслом (см. предыдущее блюдо).

№ 21. Макароны

400 г макарон • $^1/_2$ стакана сметаны (или 3 ст. л. тертого сыра) • 3–4 ст. л. сливочного масла • $1^1/_2$ ч. л. соли

Вскипятить соленую воду и опустить макароны, дать кипеть, пока макароны не побелеют и не сделаются мягкими. Тогда откинуть их на подситок, дать стечь воде, сложить на блюдо, а поверх их положить кусок масла. Перед подачей смешать, чтобы все макароны были в масле и облить сметаною или посыпать тертым сыром.

№ 22. Лапшевник

3 стакана муки • 1,25 л молока • 1 ч. л. соли • 5–6 яиц • 100 г изюма • 2 ст. л. сливочного масла • 4 сухаря • Сахар для посыпки

Замесить крутое лапшовое тесто из одного яйца, соли, муки и половины стакана воды, выложить на стол, раскатать в тонкий пласт, нашинковать тонкими полосками. Сложить в кастрюлю, налить молоко. Сварить не очень густую лапшу, остудить, смешать с остальными яйцами и перебранным изюмом.

Смазать маслом форму, посыпать тертыми сухарями, выложить в форму лапшу и запечь. Перед подачей нарезать ломтями и посыпать сахаром.

№ 23. Лапша с мясным фаршем и яйцами

2 луковицы • 200–400 г вареной говядины • 3 ст. л. коровьего масла • 1/2 ч. л. соли • 1/2 ч. л. мелкого перца • 5 яиц

Для лапшового теста: как в рецепте № 22

Лапшу, приготовленную как сказано в рецепте № 22, или вермишель отварить в соленой воде, откинуть на решето, обдать холодною водою и смешать с одним яйцом и столовой ложкой масла.

Изрубить вареную говядину, лук, посолить, положить мелкий перец, поджарить в двух столовых ложках масла. Остальные яйца сварить вкрутую и порубить.

Взять кастрюлю или форму, смазать маслом и обсыпать толчеными сухарями, потом класть в нее: ряд лапши, ряд фарша, ряд рубленых яиц и т. д., и поставить на 30 минут в печь, чтобы запеклось.

№ 24. Лазанки с маслом и луком

4 ст. л. сливочного масла • 2 ч. л. соли • 3 луковицы

Для лапшового теста: как в рецепте № 19

Тонко раскатать лапшовое тесто, как сказано в рецепте № 19 этого раздела, нарезать косыми четырехугольными кусочками.

В столовой ложке масла поджарить изрубленные луковицы, прибавить еще три ложки растопленного масла.

Отварить в соленой воде лазанки, откинуть на решето, обдать холодною водою. Смазать маслом форму, положить рядами лазанки, облить маслом с луком и поставить в печь, чтобы хорошенько зарумянились.

№ 25. Сырники жареные

800 г творога • 3 ст. л. сметаны • $1/4$ стакана муки • 3 яйца • 2 ст. л. сахара • 2 ст. л. сливочного масла • Соль

Взять свежий творог, отжать, растереть, смешать с яйцами, всыпать муку, сахар, чуть соли, положить сметану, замешать в тесто, из которого сделать лепешечки. Поджарить их на сковороде в масле.

Подавать с сахаром, корицей и сметаною.

№ 26. Сырники вареные

Для самих сырников: то же, что в рецепте № 25

Кроме того: $1\,1/2$ ст. л. сливочного масла • $1/2$ стакана мелкого сахара • $3/4$ стакана сметаны • 1 ч. л. мелкой корицы

Приготовляются так же, как и жареные. Опустить на 10 минут в кипящую воду, вынуть дуршлаговою ложкой. Смешать сметану и масло, облить сырники, посыпать сахаром и корицей и поставить в печь на несколько минут.

№ 27. Клецки гречневые

4 стакана гречневой муки • 500 мл сливок, молока или воды • 2 ч. л. соли • 200 г коровьего масла • 3 яйца • 2–3 луковицы

Взять пять ложек растопленного масла, вскипятить со сливками (молоком или водою), положить чайную ложку соли, всыпать, мешая, гречневую муку и бить веселкой минуты три. Когда тесто остынет, вбить яйца, вскипятить три литра воды с солью и опускать клецки чайной ложкою, обмакивая ее в холодную воду.

Когда клецки будут готовы, выбрать дуршлаговою ложкою и подать с поджаренным маслом и луком.

№ 28. Вареники с капустою (постные)

2 стакана шинкованной капусты • 100 г прованского или горчичного масла • 1 ч. л. соли • 4–5 луковиц • 1/4 ч. л. натертого мускатного ореха • 1/4 ч. л. мелкого перца

Для теста: 400 г муки • 1 ст. л. постного масла

Шинкованную капусту перемыть в холодной воде, отжать. Отварить в воде, откинуть на решето, дать остыть.

Положить в нее две-три ложки прованского масла, поджаренного с двумя изрубленными луковицами, прибавить перец и мускатный орех, размешать (капусту можно также поджарить в масле).

Приготовить постное лапшовое тесто, наделать маленьких пирожков, отварить их в соленой воде и откинуть на дуршлаг (см. рецепт № 19) или поджарить в постном масле. Поджарить в прованском масле две-три изрубленные луковицы, облить этим вареники и подавать.

№ 29. Пельмени с грибами и ветчиною

200 г ветчины • 1 луковица • 1/4 ч. л. мелкого перца • 100 г сушеных белых грибов • 100 г сливочного масла • Лапшовое тесто

Изрубить мелко ветчину, отварить сушеные белые грибы, мелко изрубить и поджарить с луком в ложке масла, смешать с ветчиной, прибавить мелкий перец.

Приготовить лапшовое тесто, наделать пирожков, отварить в соленой воде или поджарить в двух-трех столовых ложках масла.

Подавать с поджаренным маслом.

№ 30. Колдуны с фаршем из телятины и селедки

1 голландская селедка • 2 крутых яйца • 100 г чухонского масла • 400 г вареной или жареной телятины • 1 луковица • 1/4 ч. л. натертого мускатного ореха • 1/4 ч. л. толченого перца

Изрубить вареную или жареную телятину, крутые яйца, се-

ледку, очищенную и вымоченную в воде.

Поджарить в столовой ложке масла мелко изрубленную луковицу, смешать с фаршем, прибавить мускатный орех и толченый перец, размешать, слегка поджарить, дать остыть.

Наделать колдуны из лапшового теста и отварить их в соленой воде.

Подавать с поджаренным в масле луком.

№ 31. Сальник из гречневой крупы с печенкою

$2^1/_2$ стакана гречневой крупы • 2 яйца • 2 луковицы • 1 сальник от теленка • 600–800 г телячьей печенки • 3 ст. л. масла • 1 ч. л. соли

Выложить кастрюлю хорошо вычищенным и вымытым сальником от теленка. Положить туда изрубленную печенку, перемытую гречневую крупу, мелко изрубленные и поджаренные в масле луковицы, соль, яйца, сверху закрыть сальником же и поставить в печь на час.

Выложить на блюдо и подавать с поджаренным маслом.

№ 32. Драчена

5 ст. л. коровьего масла • 3 яйца • 1 ч. л. соли • $4^1/_2$ стакана муки • 750 мл молока • $^1/_2$ стакана мелкого сахара

Растереть добела четыре столовые ложки коровьего масла, смешать с тремя желтками, мукой, сахаром, солью, взбитыми в пену белками, развести молоком. Раскалить масло на сковороде, вылить тесто и поставить в печь минут на 30.

Подавать драчену с мелким сахаром или вареньем.

№ 33. Каравай

500 мл молока • 1 чайная чашка растопленного масла • 14 яиц • 1 ч. л. соли • 800 г муки • 100 г коринки • 1 ст. л. масла • 3 сухаря • $^3/_4$ стакана мелкого сахара • 1 ст. л. дрожжей

Смешать вместе молоко, растопленное масло и яйца (белки сначала взбить в пену). Прибавить столько муки, чтобы вышло

негустое тесто, влить дрожжи, размешать, накрыть и поставить в теплое место, чтобы тесто взошло.

Потом выбить его лопаткой, положить коринку, мелкий сахар, соль и дать тесту подняться еще раза два, выбивая хорошенько всякий раз.

Смазать маслом форму, обсыпать тертыми сухарями, выложить тесто и поставить в печь.

№ 34. Хворост

2 яйца • 1–1 1/2 ст. л. рома • 3/4 стакана сахара • 400 г муки • 800 г масла для жаренья

Замесить крутое тесто из яиц, сахара, рома, муки и трех столовых ложек воды. Раскатать как можно тоньше, вырезать полоски, наделать из них фигурок и опустить в раскаленное в кастрюле масло.

Когда хворост зарумянится, выбрать дуршлагом, сложить на решето, чтобы стекло масло, обсыпать сахаром.

▶ Примечание. Можно жарить в масле пополам со свиным жиром.

№ 35. Обыкновенные вафли

400 г муки • 200 г сливочного масла • 750 мл сливок • 1 ч. л. соли • 3/4 стакана сахара • 3–4 ст. л. воды померанцевых цветов • 1–2 ст. л. масла или 50 г белого воска (для смазывания)

Растереть добела сливочное масло, всыпать муку, размешать, развести сливками, положить мелкий сахар, соль, прибавить воду померанцевых цветов.

Разогреть вафельную форму, смазать маслом или воском, положить в нее немного приготовленного теста, поставить на огонь и поворачивать ее с одного бока на другой. Вынув вафлю из формы, обсыпать ее мелким сахаром, форму же опять намазать маслом или воском и налить опять теста.

№ 36. Вафли рисовые

1 стакан риса • 1 1/2 стакана муки • 1/2 стакана мелкого сахара • 3/4 стакана коровьего масла • 500 мл сливок или молока • 2 ст. л. дрожжей • 5 яиц • 3/4 ч. л. соли

Протереть сквозь сито рис, разваренный в молоке или слив-

ках, положить в него растертое коровье масло, сахар, муку, соль, дрожжи, желтки и взбитые белки, перемешать. Дать тесту подняться и поступать, как сказано в рецепте № 35.

№ 37. Вафли на дрожжах, иначе приготовленные

2 стакана муки • 2 ч. л. дрожжей • 6 яиц • 3/4 ч. л. соли • 350–400 мл молока • 3/4 стакана растопленного масла • 1/2 стакана сахара

Размешать теплое молоко, муку и дрожжи, дать подняться. Взбить яичные белки. Растопленное масло растереть добела с сахаром и желтками, добавить белки, перемешать с тестом и испечь вафли, как сказано в рецепте № 35.

№ 38. Пышки обыкновенные

4 стакана муки • 2 ст. л. дрожжей • 5 яиц • 5 зерен кардамона • 1 рюмка рома • 400 г русского масла • 5 ст. л. чухонского масла • 400 г гусиного жира или свиного сала • 250 мл молока • 5 ст. л. чухонского масла • Цедра с 1 лимона • 1/2 ч. л. корицы • 1 стакан густого варенья • 1 ст. л. спирта • 1/2 стакана мелкого сахара • 1/2 ч. л. корицы

Дрожжи развести теплым молоком до стакана, размешать с двумя стаканами муки. Когда тесто поднимется, бить веселкой, прибавить еще два стакана муки, яичные желтки, растертые с мелким сахаром, положить пять столовых ложек чухонского масла, кардамон, цедру с лимона, корицу, влить рюмку рома, замесить, поставить в теплое место и дать подняться.

Через час раскатать тесто (оно не должно быть крутое) в два кружка в палец толщиною. На один из кружков класть по половине или целой чайной ложке густого варенья кучками счетом до двадцати. Накрыть другим кружком и вырезать стаканом так, чтобы кучки варенья приходились посредине вырезанных пышек. Затем посыпать лист мукою, положить на него пышки и поставить

на полчаса в теплое место, наблюдая, чтобы они не очень поднялись.

Русское масло, свиное сало (или гусиный жир), ложку спирта вскипятить, опускать по пять-шесть пышек и кипятить 10 минут. Когда пышки подрумянятся, вынуть дуршлаговою ложкою, положить на пропускную бумагу, посыпать сахаром и корицею, сложить на блюдо и подавать горячими.

Можно делать для пышек и такое жидкое тесто, которое даже не раскатывается (оно нежнее). В таком случае нужно наделать руками двадцать лепешек, положить на каждую половину или целую чайную ложку варенья, защипать, свалять в шарик и испечь, как сказано выше.

№ 39. Пышки с запеченными яблоками

10 яблок • $1^1/_2$ стакана муки • 1 стакан мелкого сахара • $^1/_2$ ч. л. соли • 10 яиц • $^1/_2$ стакана варенья • 1 ч. л. мелкой корицы • 400 г русского масла • 400 г свиного сала • Сироп

Взбить в густую пену яичные белки; желтки добела растереть с половиной стакана сахара, примешать белки. Подсыпать понемногу муку, добавить соль.

Яблоки очистить, вынуть середину и наполнить ягодами какого-нибудь варенья. Яблоки по одному обмакнуть в тесто и испечь, как сказано в предыдущем рецепте. Посыпать сахаром с корицею, облить каким-нибудь сиропом или сабайоном.

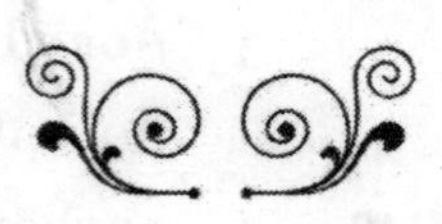

Раздел XIII

Кушанья из яиц

№ 1. Яичница с ветчиною

100 г ветчины • 2 ст. л. коровьего масла • 10 яиц • 1/2 ч. л. соли • 800 мл молока • Зелень петрушки или зеленый лук

Нарезать маленькими кусочками ветчину вместе с жиром, поджарить ее слегка на сковороде в коровьем масле.

Выпустить в чашку потребное количество яиц и подлить молока (обыкновенно полагая на три яйца 250 мл молока), разбить хорошенько ложкою и посолить.

Когда ветчина ужарится, вылить яйца на ветчину, дать постоять на огне четверть часа или даже менее времени, и яичница готова. Можно посыпать сверху рубленой зеленью петрушки или мелко нарезанным зеленым луком.

№ 2. Яичница с почками

2 телячьи почки • 1 луковица • Зелень петрушки • 6–7 яиц • 2 ст. л. масла • 500 мл молока

Поджарить очищенные, перемытые, нарезанные тонкими ломтиками телячьи почки в масле, изрубить их с небольшим количеством петрушки и лука, приправить солью и перцем.

Разбить яйца с молоком, как сказано в предыдущем рецепте, вылить их на почки и печь на легком огне 10 минут.

№ 3. Яйца под соусом

6 яиц • 3–4 ст. л. уксуса

Для соуса: 1 ст. л. коровьего масла • 2 ст. л. муки • 1/2 ч. л. мелкого перца • 1 ч. л. сахара • 1 чайная чашка уксуса

• $1^1/_2$ ч. л соли • Зелень петрушки • 2 желтка (кто желает)

Налив в кастрюлю воды, добавить три-четыре столовые ложки уксуса, дать воде вскипеть и выпустить туда яйца. Потом, как они сварятся, вынуть, уложить на блюдо и облить холодною водою.

Между тем, растопив в отдельной кастрюле кусок коровьего масла, прибавить две полные ложки муки, вскипятить, положить сахар, перец, соль, влить чашку уксуса. Все это смешать хорошенько, дать вскипеть, довести до густоты соуса.

Слив с яиц холодную воду, облить их приготовленным соусом, посыпать рубленой зеленью петрушки. Можно вбить в соус желтки.

№ 4. Яичница с сахаром

10 яиц • $^1/_2$ стакана сахара • 1 л неснятого молока или сливок • 1 ч. л. соли • 1 ст. л. коровьего масла

Смешать яйца с молоком или сливками, положить по вкусу сахар и соль, вылить в глубокую сковороду, в которой распущено масло, поставить в печь за 15 минут до обеда и подавать с сахаром и корицей.

№ 5. Португальская яичница

8–10 яиц • От $^1/_2$ до 1 стакана сахара • 2–3 ст. л. воды померанцевых цветов • Сок из 2 лимонов

Распустить сахар в воде померанцевых цветов, прибавить немного соли, сок из лимонов, смешать с яйцами и поставить на огонь. Когда кушанье будет отставать от блюда, снять его с огня, остудить и подавать холодным.

№ 6. Выпускная яичница, или глазница

10 яиц • 1 ч. л. соли • 1 ст. л. коровьего масла

Разогреть сковороду, положить небольшой кусок масла и, когда оно распустится, вылить сырые яйца, одно подле другого, посолить. Можно посыпать зеленью петрушки. Держать на огне, пока белок не сделается довольно густым.

Раздел XIV

Каши

№ 1. Белая каша

400 г пшена • 1 ч. л. соли • 1 л молока • 100 г чухонского масла

Пшено перемыть в нескольких водах до тех пор, пока последняя вода не будет чиста. Положить пшено в горшок, посолить, налить кипятка или горячего молока и поставить в печь, мешая до тех пор, пока не загустеет. Когда каша будет готова, подавать с чухонским маслом.

№ 2. Крутая гречневая каша

600 г гречневой крупы • 2 ст. л. коровьего масла • 1 ч. л. соли • Молоко (кто желает)

Для соуса: 100 г сушеных белых грибов • 2 ст. л. крупитчатой муки • 3 ст. л. масла чухонского или постного • 1 ст. л. сметаны (кто желает) • 2 стакана грибного бульона

Гречневую крупу насыпать в горшок, залить кипятком или цельным молоком, положить соль и поставить в печь. Когда каша вполовину сварится, положить две столовые ложки масла, перемешать хорошенько и поставить опять в печь, чтобы зарумянилась.

Между тем приготовляют к ней грибной соус. Взять сушеных белых грибов, облить их кипятком; когда сделаются мягкими, слить воду, изрубить их помельче, поджарить в чухонском или постном масле. Вскипятить муку в двух ложках чухонского или постного масла, положить сметану (кто желает), смешать все это вместе, посолить, положить туда жареные грибы, развести грибным бульоном так, чтобы было не густо и не жидко, и поставить вариться

на 10 минут. Когда будет готово, подать этот соус к каше.

Вместо этого соуса можно подавать просто с маслом или молоком, но в таком случае в кашу не класть масла.

№ 3. Молочная манная или рисовая каша

200 г манной крупы или риса • 750 мл молока • 1/2 стакана мелкого сахара • 1 ч. л. толченой корицы • 750 мл молока или сливок для подачи (или 100 г сливочного или чухонского масла)

Вскипятить три стакана неснятого молока, засыпать манную крупу или рис, поставить на огонь, постоянно мешая и не давая сплывать, и варить минут 15—20. Когда каша уварится, выложить ее на блюдо, посыпать мелким сахаром и толченой корицей и подать к ней молоко или сливки. Можно подать с маслом.

№ 4. Каша гречневая с жареным луком

400 г гречневой крупы
• 1 ч. л. соли • 2–3 луковицы
• 100 г масла
• 3–4 гриба

Насыпать гречневую крупу в горшок такой величины, чтобы было немного более половины горшка, положить соль и влить кипяток, чтобы покрыть крупу. Вымешать и еще влить кипяток, опять вымешать и продолжать это до тех пор, пока горшок не сделается полон. Тогда поставить его в печь, и когда она протопится, подвинуть горшок как можно дальше, а потом, когда будут закрывать трубу, перевернуть горшок дном вверх и оставить так до обеда.

К этой каше можно подавать лук, приготовленный следующим образом. Изрезать луковицы ломтями, положить на сковороду, налить масло и держать на огне, помешивая, чтобы лук не пригорел. Когда он сделается мягким, сложить его в горшочек, накрыть и поставить в вольный дух.

Подают также грибы, приготовленные на постном масле вместо коровьего, и прибавляют

немного лука, жаренного описанным выше образом.

№ 5. Каша-размазня

300 г гречневой крупы • 1 ч. л. соли • Сливочное масло или молоко

Вскипятить в кастрюле три стакана воды, положить соль, засыпать гречневую крупу, чтобы вышла жидкая каша, варить полчаса. Выложить на блюдо, подать с маслом или молоком.

▶ Примечание. Эту кашу можно приготовлять и со снетками, 400 граммов которых нужно отварить в воде вместе с крупой.

№ 6. Крутая ячная каша

800 г ячной крупы • 1,5 л молока • 100 г чухонского масла • 1 ч. л. соли

Вскипятить восемь стаканов воды с солью, всыпать ячную крупу, хорошенько размешать, закрыть горшок крышкой, чтобы она упрела, поставить в печь на пять часов. Когда каша зарумянится, вынуть, подать в горшке, с маслом или молоком.

№ 7. Поджаренная каша с яйцами

Вчерашняя каша • 5 яиц (2 сырых и 3 сваренных вкрутую) • 100–150 г масла • 1 ч. л. соли

Взять вчерашнюю кашу, выложить ее в миску, размять, чтобы не было комков. Мелко изрубить крутые яйца, смешать с кашею, положить масло, посолить, размешать хорошенько, вбить сырые яйца, размешать и сделать лепешки.

Распустить в глубокой сковородке две столовые ложки масла, выложить лепешки и держать на огне, пока не зарумянятся. При жарке почаще поворачивать.

№ 8. Рисовая каша с изюмом

200 г риса • 200 г изюма • 3 сухаря • 3 ст. л. чухонского масла • 4 ст. л. сахара • 1 ч. л. соли

Варить так же, как варится простая рисовая каша (см. рецепт № 3), а когда поспеет, смешать ее с изюмом, сахаром

и чухонским маслом. Потом смазать форму маслом, обсыпать тертым хлебом, выложить кашу и поставить в печь, чтобы запеклась.

№ 9. Пшенная каша

200 г пшенной крупы • 700 мл молока • 1 ч. л. соли • 1 яйцо • 1 ст. л. чухонского масла
Для подачи: 100 г чухонского масла (или 1 ч. л. толченой корицы, 4 ст. л. мелкого сахара и 700 мл сливок)

Вскипятить свежее молоко, всыпать в него пшенную крупу, соль и сварить кашу. Перед подачей вбить яйцо и, мешая беспрестанно, чтобы не образовались комки, положить столовую ложку масла. Подавать или с чухонским маслом, или с сахаром, мелкой корицей и сливками.

№ 10. Рис с миндальным молоком

1 1/2 стакана риса • 1/2 стакана сахара • 5 штук горького миндаля • 100 г сладкого миндаля • Соль

Разварить рис в соленой воде, откинуть на решето и подавать с миндальным молоком, приготовленным из сладкого, горького миндаля и сахара.

№ 11. Каша из тыквы

800 г тыквы • 1/2 ст. л. муки • 1 1/2 ст. л. мелкого сахара • 1,5 л сливок или молока • 2 ст. л. сливочного масла • Соль

Вырезать середину у тыквы, срезать корку и, разрезав мякоть на мелкие куски, варить в воде. Когда тыква сделается мягкою, откинуть на решето. Распустить в кастрюле сливочное масло, влить сливки или цельное молоко, положить сахар, муку и тыкву, чуть посолить и варить, помешивая, пока тыква совершенно не разварится.

№ 12. Каша манная на миндальном молоке (постная)

100 г сладкого миндаля • 3 штуки горького миндаля • 1 стакан манной крупы • 1 ст. л. сахара • Соль

Истолочь сладкий миндаль, прибавить горький, подливая

воду, сделать молоко. В кастрюлю всыпать сахар, манную крупу, немного соли, влить два с половиной стакана воды. Варить, мешая, пока каша не сделается густою, подливая понемногу миндальное молоко.

При подаче посыпать сахаром.

№ 13. Каша рассыпчатая на грибном бульоне

$1^1/_2$ стакана гречневой или смоленской крупы • 5 сушеных грибов • 4 зерна английского перца • 1 яйцо • 1 ч. л. соли • 3 ст. л. чухонского или постного масла • Кореньев по $^1/_2$ штуке (морковь, петрушка, сельдерей)

Перетереть смоленскую или гречневую крупу с яйцом, высушить и просеять через решето.

Сварить в соленой воде сушеные грибы с английским перцем, кореньями. Вынуть грибы, нарубить, бульон процедить. В два с половиной стакана этого бульона всыпать протертую крупу, прибавить две ложки чухонского или постного масла, поставить на большой огонь на 5 минут, потом на легком огне поварить 15 минут.

Затем положить грибы и еще ложку масла, размешать и поставить в печь.

Подавать, выложив на блюдо.

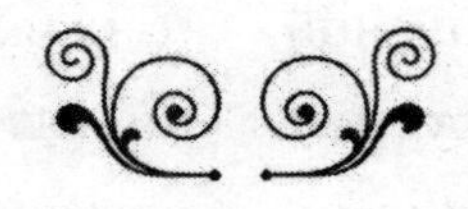

Раздел XV

Кушанья из зелени, овощей и грибов

№ 1. Картофель с белым соусом

12–15 штук картофеля • 1 ст. л. муки • 2 ст. л. сливочного масла • 2 стакана мясного бульона • 1/2 ч. л. мелкого перца • 1 1/2 ч. л. соли • 1 ст. л. каперсов • Зелень петрушки

Испечь или отварить в соленой воде картофель, снять кожуру и нарезать его тонкими ломтиками.

Вскипятить в кастрюле ложку муки в масле, развести мясным бульоном, положить соль, перец и поставить кастрюлю на самый малый огонь. Как только соус сделается достаточно густым, положить в него каперсы, облить им картофель, посыпать рубленой зеленью петрушки и подавать.

№ 2. Соус из кореньев

2–3 кочанчика брюссельской капусты • 2 корня петрушки • 2 корня сельдерея • 2 моркови • 4–5 штук картофеля • 1–2 репы • 1 корень пастернака • 1 луковица • 3–4 штуки лука-порея • 2–3 ст. л. масла • 1 ст. л. муки • 1 ст. л. уксуса • Соль

Взять брюссельскую капусту, срезать кочешки со ствола (или нарезать крупными кусками простую капусту). Коренья (петрушку, сельдерей, морковь, репу, пастернак, луковицу, порей) очистить, вымыть, нарезать небольшими кусками, сварить в соленой воде до половины готовности, а брюссельскую капусту и картофель надобно совершенно уварить; все обжарить в масле.

Поджарить в кастрюле ложку муки в коровьем масле, развести кипящим бульоном (два с половиной стакана), постоянно мешая, затем влить ложку уксуса. Когда соус будет поспевать, положить в него коренья, кроме капусты, которая кладется перед самой подачей на стол, и вскипятить.

Надобно при этом заметить, что капусты, особенно брюссельской, нужно класть немного, иначе соус будет приторно-сладкий.

№ 3. Тушеная капуста

1 кочан капусты • 1 ч. л. соли • 1 ч. л. перца • 100 г масла

Обмыть хорошенько капусту, разрезанную на четыре части, кипятить 10 минут в воде, потом откинуть на решето. Положить в кастрюлю с маслом; прибавить соль, перец и тушить под крышкой, почаще поворачивая, 30 минут.

Когда капуста уварится, снять кастрюлю с огня, собрать жир, уложить капусту на блюдо и подавать.

№ 4. Спаржа в виде горошка

400 г мелкой спаржи • 2 ст. л. масла • 1 ч. л. соли • 1–2 ст. л. муки • 1/2 ч. л. мелкого перца • Сахар • 2 стакана бульона • 2 яичных желтка • Яйца или гренки

Взять самую мелкую спаржу, разрезать кусками величиною с горошину, варить в соленой воде. Вынуть и положить в холодную воду, слить воду.

Положить спаржу в кастрюлю, добавить масло, соль, перец и небольшое количество сахара, поставить на сильный огонь, постоянно размешивая; посыпать слегка мукою и смочить бульоном. Через минуту вынуть спаржу и подбить еще горячий соус яичными желтками.

Подавать, обложив яйцами «в мешочек» или гренками.

№ 5. Зеленый горошек

400–600 г лущеного гороха • 2 ст. л. чухонского масла • 1 ст. л. муки • 1 ч. л. соли • 1/4–1/2 стакана сахара • 500 мл бульона или сливок

Отварить очищенный зеленый горошек в соленой воде (варить

15 минут), затем откинуть его на решето.

Положить в другую кастрюлю чухонское масло, поставить на огонь, всыпать ложку муки, размешать, развести бульоном или сливками, положить сахар, посолить, положить горошек, накрыть крышкой, поставить на легкий огонь, чтобы распарился. Когда уварится, снять, перемешать и подавать.

№ 6. Артишоки

8–10 артишоков • Соль

Для сабайона: 1 стакан белого вина • 4 яичных желтка • 1/3 стакана мелкого сахара • 1/2 лимона

Обрезать стебли у артишоков и отварить в соленой воде. Подавать с поджаренным маслом или сабайоном, который приготовляется следующим образом.

Яичные желтки растереть добела с мелким сахаром, положить цедру с половины лимона, перелить в кастрюлю, поставить на легкий огонь и взбивать веничком в густую пену. Подлить белое вино и держать на огне, помешивая, но не давая кипеть. Когда желтки поднимутся, снять с огня и подавать.

№ 7. Зеленые турецкие бобы запросто

400 г зеленых турецких бобов • 2 ст. л. масла • 1 ст. л. муки • 1/3 стакана мелкого сахара • 500 мл бульона или сливок • Соль • Мелкий перец (кто желает)

Вымыть стручки зеленых турецких бобов, нашинковать. Растопить в кастрюле масло, положить ложку муки, вскипятить, развести бульоном или сливками, приправить солью и, кто желает, мелким перцем, опустить бобы, добавить сахар. Накрыть крышкой и варить до готовности, помешивая бобы и встряхивая кастрюлю.

№ 8. Фаршированный кочан капусты

1 кочан капусты • 2 яйца • 2 ст. л. сливок • 3–4 ст. л. чухонского масла • 1/2 ч. л. мелкого перца • 1/2 ч. л. измельченного мускатного ореха • 1 ст. л. сахара • Соль по вкусу

Для соуса: 200 г чухонского масла • 1 ст. л. муки • $^1/_2$ ч. л. мелкого перца • Соль по вкусу • 100–150 белого хлеба • 250 мл сливок

Очистить кочан капусты, срезать верхушку, вынуть сердцевину. Вынутое искрошить как можно мельче, прибавить яйца, две ложки свежих сливок, несколько ложек растопленного чухонского масла, немного перца, соль по вкусу, мускатный орех, сахар. И все это, перемешав хорошенько, вложить в пустоту кочанной сердцевины.

Затем, накрыв верхушкой, обвязать весь кочан нитками и положить в кастрюлю со 100 граммами масла, накрыть крышкой и тушить, чаще поворачивая кочан. Когда капуста совершенно упреет и сделается мягкою, кочан вынуть, снять с него нитки.

Положить в масло в кастрюле ложку муки, немного перца, соль по вкусу и тертый мякиш белого хлеба, вскипятить, подлить стакан свежих сливок, прокипятить все хорошенько и подавать на стол, облив этим соусом начиненный кочан капусты.

Капусту можно также начинить мясным фаршем (см. рецепт № 1 раздела XI).

№ 9. Жареный картофель

15 штук картофеля • 2 ч. л. соли • 200 г русского масла, или 200 г говяжьего жира, или 100 г постного масла

Отварить картофель, очистить, нарезать ломтиками, распустить на сковороде масло коровье или постное (или говяжий жир), положить картофель и жарить его, поворачивая, пока не подрумянится.

▶ Примечание. Так же жарится сырой картофель.

№ 10. Цветная капуста с сабайоном

Цветная капуста • Соль

Для сабайона: Яичные желтки • Сахар • Цедра лимона • Белое вино

Отварить в соленой воде цветную капусту, у которой обобрать зеленые листья, оставляя ствол и цветок. Когда капуста сделается мягкою, откинуть на решето,

остудить, положить на блюдо и подавать с сабайоном (см. рецепт № 6 этого раздела).

▶ Примечание. Можно подавать с прованским маслом и уксусом или же с растопленным коровьим маслом, в которое положить тертые сухари.

№ 11. Разварные коренья и зелень

2–3 корня петрушки • 1 большой корень сельдерея • 1–2 моркови • 200 г спаржи • 1 репа • 1–2 корня пастернака • 100 г шпината • 100 г зеленого гороха • 100 г коровьего масла • 5–6 сухарей

Взять разных кореньев: петрушки, сельдерея, моркови, репы, пастернака, — нарезать кусочками. Также нарезать шпинат, спаржу. Все это сложить в кастрюлю, добавить зеленый горошек и отварить в соленой воде. Откинуть на решето и подавать с растопленным маслом и тертыми сухарями.

№ 12. Молодой картофель

800 г картофеля • 100 г масла • 1/2 стакана сметаны • Соль • Зелень петрушки

Отварить картофель, откинуть на решето и, когда вода стечет, положить в горшок, а сверху кусок масла, поставить в вольный дух. Перед обедом выложить картофель на блюдо и облить сметаною или поджаренным маслом с зеленью петрушки.

№ 13. Капуста на простой манер

1–1 1/2 кочана капусты • 2–3 ст. л. масла • 2 ч. л. соли • 1/2–1 ч. л. мелкого перца • 1–2 ст. л. муки • 1/2 стакана бульона

Разрезать кочан капусты, нашинковать, держать полчаса в соленом кипятке (одна чайная ложка соли).

Откинуть капусту на решето, остудить, положить в кастрюлю с маслом, пересыпать чайной ложкой соли и перцем, прибавить большую щепоть муки, накрыть крышкой и держать на огне, встряхивая; смочить бульоном и тушить до тех пор, пока не уварится.

№ 14. Репник

4 репы • 1 ст. л. коровьего масла • 1/2 чайной чашки манной крупы

• 2 яйца • 1 л неснятого сырого молока

• Соль

Репу очистить, накрошить помельче, положить в соленый кипяток, уварить ее помягче и горячую откинуть на решето.

Когда вода стечет, размять и растереть хорошенько репу пестиком, положить туда коровье масло и снова перетереть пестиком. Потом всыпать манную крупу, выпустить яйца, перемешать все вместе ложкою и развести смесь молоком.

Выложить в каменную плошку, поставить в только что истопленную русскую печь на полчаса-час и не вынимать до тех пор, пока репник не зарумянится сверху.

№ 15. Соус из шампиньонов

2–3 горсти шампиньонов • 2 ст. л. лимонного сока • 2 ст. л. сливочного масла • 1 ст. л. соли • 1 ст. л. муки • 1 стакан бульона • Зелень петрушки • 2 яичных желтка • 1/2 стакана сливок или сметаны

Вскипятить в кастрюле два стакана воды и лимонный сок (из одного лимона), вымыть шампиньоны и положить в сказанную кастрюлю; помешивать, чтобы они не пригорели. Потом положить кусок масла и соль, сначала варить на большом огне, который уменьшать постепенно, и почаще мешать. Когда шампиньоны поспеют, откинуть их на решето.

Вскипятить в кастрюле столовую ложку масла, поджарить в ней ложку муки, развести отваром от шампиньонов, прибавить столько же бульона, положить шампиньоны, зелень петрушки, сгустить соус, снять жир, подбить яичными желтками, распущенными в сливках или в сметане, и подавать.

№ 16. Репа фаршированная

4–8 штук репы (смотря по величине) • 2 ст. л. тертых сухарей • 2 1/2 ст. л. масла • 1 1/2 ч. л. соли • 3/4 стакана сметаны • 1 ст. л. муки • 1–2 ч. л. сахара • Мелкий перец и мускатный орех по вкусу

Репу очистить, отварить, разрезать каждую на две части, выбрать

осторожно середину, которую растереть, смешать с тертыми сухарями, поджаренными в масле, и двумя-тремя столовыми ложками сметаны. Прибавить немного сахара, мелкого перца, соли, мускатного ореха, можно подлить немного бульона. Смешать, нафаршировать этим репу и перевязать каждую ниткой.

Уложить овощи в кастрюлю, смазанную ложкою масла, и поставить в печь, чтобы фарш погустел и сверху подрумянился. Выложить на блюдо.

Половину ложки масла размешать на огне с ложкою муки, влить с полстакана сметаны, стакан бульона или воды, в которой варилась репа, положить сахар, вскипятить и облить этим репу на блюде.

Можно начинять и мясным фаршем (см. рецепт № 1 раздела XI).

№ 17. Картофельный соус

10–15 штук картофеля • 2–3 ст. л. сливочного масла • 1 стакан бульона • 350 мл молока • Зелень петрушки

Полусваренный картофель очистить, нарезать тонкими ломтиками, положить его в кастрюлю с достаточным количеством сливочного масла и солью и поставить на малый огонь. Влить молоко и бульон и посыпать рубленой зеленью петрушки.

№ 18. Соус из моркови

10–20 штук моркови • 2 стакана бульона • 1 ст. л. муки • 1$^1/_2$ ст. л. масла • Соль

Очистить морковь, нашинковать, залить бульоном, посолить, варить до мягкости. Сделать подболтку из муки и масла, прибавить в бульон, дать прокипеть и подавать с языком, ветчиною, мозгами, котлетами или гренками.

▶ Примечание. Так же приготовляется соус из репы, брюквы, земляных груш и пастернака. В последний можно положить вместо бульона сливки или молоко и прибавить столовую ложку мелкого сахара.

№ 19. Соус из шпината

800 г свежего шпината • 3 куска сахара • $^1/_2$ стакана сметаны • $^1/_2$ стакана бульона • $^1/_2$ ст. л. муки

• $^1/_2$ ч. л. соли • 1 ст. л. сливочного масла

Шпинат перебрать, вымыть, обварить кипятком, откинуть на решето и мелко изрубить.

Потом положить в кастрюлю муку и масло, размешать, дать вскипеть, затем развести бульоном и сметаною, положить шпинат, посолить, поставить на легкий огонь, прибавить сахар и варить до готовности.

Подается с гренками, выпускными и крутыми яйцами, языком, котлетами, солониною и прочим.

№ 20. Жареные грибы

500 г очищенных грибов • $^3/_4$ стакана сметаны • $^1/_4$ ч. л. натертого мускатного ореха • 3 ст. л. сливочного масла • 1 ст. л. муки • 2 ч. л. соли • $^1/_4$ ч. л. мелкого перца • Зелень укропа, петрушки

Очищенные и перемытые грибы изрезать и обвалять в муке. Растопить в кастрюле или на сковороде сливочное масло, поджарить в нем изрубленную луковицу, положить туда грибы, посолить их и жарить на легком огне. Поджарив с одной стороны, перевернуть на другую.

Когда грибы поджарятся до мягкости, влить сметану, дать вскипеть, всыпать зелень укропа, петрушки, натертый мускатный орех и мелкий перец.

№ 21. Тушеные грибы

500 г грибов • 3 стакана сметаны • 2 ст. л. сливочного масла • 1 ч. л. соли • Зелень петрушки

Грибы очистить, разрезать на куски, положить в кастрюлю, добавить масло и сметану, посолить, покрыть крышкой и дать кипеть на легком огне. Подавая, посыпать зеленью петрушки.

№ 22. Картофельное пюре

15 штук картофеля • 1 ст. л. сливочного масла • 600 мл молока • 1 ч. л. соли

Перемыть картофель, сварить его в соленой воде (можно варить и очищенный), слить воду.

Очистить картофель, если не был очищен, протереть его сквозь дуршлаг или решето.

Затем вскипятить молоко, положить в него картофель, посолить, прибавить сливочное масло, хорошенько размешать, дать вариться с четверть часа на легком огне, постоянно мешая.

Подавать с разварною или жареною говядиною, солониною, ветчиною, языком, сосисками и зразами.

№ 23. Савой, или итальянская капуста

2 кочана савоя • 2 яичных желтка • 1 ст. л. муки • 1 ст. л. масла • 2 стакана бульона • Соль

Очищенные от верхних листьев и разрезанные на четыре части кочаны савоя варить 15 минут в соленой воде, откинуть на решето.

Вскипятить в кастрюле ложку муки в ложке масла, развести бульоном, дать вскипеть, вбить яичные желтки, не давать кипеть, но, мешая, подогреть. Облить соусом капусту на блюде.

№ 24. Цветная капуста под соусом

5 кочанов цветной капусты • 3 стакана бульона • 2 ст. л. масла • 2 ст. л. натертого пармезана • 1 яйцо • 1 ст. л. муки • Соль

Вскипятить муку в ложке масла, вбить желток, развести бульоном, подогреть, мешая и не давая кипеть, всыпать ложку тертого пармезана.

Отварить цветную капусту в соленой воде, откинуть на решето, окропить ложкою масла, осыпать ложкою пармезана, за 10 минут до обеда облить приготовленным соусом и поставить на блюде в печь, чтобы капуста зарумянилась.

№ 25. Фаршированная брюква

5 штук брюквы • 3/4 стакана сметаны • 1 ст. л. муки • 1/4 мускатного ореха • 2 ст. л. тертых сухарей • 2 ст. л. масла • 1 ч. л. сахара • 2 стакана бульона • Соль

Сварить в соленой воде очищенную брюкву, разрезать каждую пополам. Вынуть середину,

протереть, прибавить три столовые ложки сметаны, тертые сухари, одну столовую ложку масла, немного бульона, соль, половину чайной ложки сахара, тертый мускатный орех, размешать. Наполнить этой смесью брюкву, положить в смазанную маслом кастрюлю, поставить в печь.

Взять один стакан воды, в которой варилась брюква, прибавить муку, полстакана сметаны, немного сахара, вскипятить. Когда начинка подрумянится и погустеет, положить брюкву на блюдо и облить приготовленным соусом.

Нафаршировать брюкву можно и другим способом, а именно: срезать у нее верхушку, вынуть середину, наполнить фаршем, накрыть срезанною верхушкою и поставить в кастрюле в печь.

№ 26. Земляные груши

400 г земляных груш • 2 ч. л. соли • 3 ст. л. масла • 1 стакан уксуса • Сухари

Очистить земляные груши, перемыть, положить их в уксус пополам с водой. Взять воды, прибавить три столовые ложки уксуса, соль, столовую ложку масла, сварить в этой воде груши, положить на блюдо, облить маслом с сухарями.

№ 27. Пастернак

600 мл бульона • 1 ст. л. муки • 1 ст. л. масла • 400 г корня пастернака • 1 ч. л. сахара (кто желает) • 3/4 стакана сметаны или сливок • Соль

Вскипятить бульон или соленую воду, нарезать очищенный пастернак на маленькие кусочки, положить в бульон, отварить до готовности. Вскипятить отдельно ложку муки в ложке масла, положить чайную ложку соли, сахар (кто желает), дать вскипеть, влить сметану или сливки, развести бульоном с пастернаком и подавать.

№ 28. Пудинг картофельный с ветчиною

2 стакана тертого вареного картофеля • 3 яйца • 1/2 стакана сметаны • 100 г ветчины • 200 г сливочного масла • 3–4 сухаря • Сыр

Вареный протертый картофель, мелко нарезанную ветчину, желтки

и взбитые белки, растертое добела масло (100 граммов), сметану смешать хорошенько. Смазать маслом кастрюлю, обсыпать тертыми сухарями, положить в нее эту массу, поставить в печь.

Подавать, облив горячим маслом и обсыпав сыром.

Раздел XVI
Кисели

№ 1. Клюквенный кисель

400 г клюквы • 1/2–1 стакан картофельной муки • 1/2–3/4 стакана мелкого сахара • 1/2 ч. л. корицы • 2–3 гвоздики

Выдавить сок из перемытой перебранной клюквы, прибавить пять стаканов воды — одну половину вскипятить с корицей, гвоздикой и сахаром, а в другой размешать картофельную муку и вылить в первую. Варить минуты три, помешивая постоянно, чтобы не было комков.

Подавать теплым или застуженным, с сахаром и молоком.

▶ Общее примечание. Картофельную муку нужно разводить холодной водой или холодным соком для киселя и влить в то время, когда кисельный сок кипит ключом. Для жидких киселей нужно брать половину стакана картофельной муки на шесть стаканов сока; для густых же — вдвое больше. Замешав картофельной мукой, дать кипеть не более трех минут.

№ 2. Овсяный кисель

200 г овсяной муки • 1 стакан квасной гущи • 1 ч. л. соли

Положить с вечера овсяную муку в холодную воду, влив стакан квасной кущи. На другой день процедить сквозь сито, влить в кастрюлю, варить полчаса и мешать постоянно; посолить и прокипятить еще раза три, потом вылить в формы и застудить.

Подавать с медовою сытою, или миндальным молоком, или ореховым маслом.

№ 3. Кисель из малины

600 г малины • 200 г сахара • 1 стакан картофельной муки • Цедра с 1 лимона

Размять перебранную и очищенную малину с пятью стаканами воды, растереть ложкой и процедить.

Вскипятить сок с сахаром и лимонною цедрой. Развести картофельную муку стаканом холодной воды, влить в сок и держать на огне не более трех минут, постоянно размешивая, чтобы не было комков. Разлить в формы и застудить.

№ 4. Кисель яблочный

6–8 яблок • 200 г мелкого сахара • 1 стакан картофельной муки

Очистить яблоки, разварить их в шести стаканах воды. Протереть сквозь сито, смешать с сахаром и пятью стаканами воды, в которой варились яблоки. Вскипятить, всыпать картофельную муку, разведенную стаканом холодной воды, покипятить минуты три. Вылить в форму, ополоснутую холодною водою, и застудить.

Подавать с сахаром и молоком.

№ 5. Миндальный кисель

200 г сладкого миндаля • 6 штук горького миндаля • 1 стакан картофельной муки • 300 г сахара

Приготовить миндальное молоко из очищенного сладкого и горького миндаля; половину его вскипятить в кастрюле с сахаром, а в другой размешать картофельную муку и вылить в кипящее молоко. Держать на огне минуты три, постоянно мешая, чтобы не было комков.

Потом вылить в форму или глубокое блюдо, ополоснутые холодною водою, и застудить.

Подавать с сахаром и миндальным молоком.

№ 6. Кисель из крыжовника

800 г неспелого крыжовника • Цедра с 1/2 лимона • 1 стакан белого вина • 200 г сахара • 1 стакан картофельной муки

Выжать сок из незрелого крыжовника, развести его водою, прибавить цедру лимона, белое вино, сахар, вскипятить. Картофельную муку развести стаканом сока, вылить его в кипящий остальной сок и, постоянно мешая, держать на огне не более трех минут. Разлить в формы и застудить.

Раздел XVII

Пудинги, торты, сладкие пироги и мелкое пирожное

№ 1. Пудинг из белого хлеба

3–4 французских белых хлеба (по 200–250 г) • 700 мл молока • 200 г чухонского масла, или говяжьего почечного жира, или говяжьего костного мозга • 200 г кишмиша или коринки • 200 г очищенного сладкого миндаля • 5–6 штук горького миндаля • 1/2 горсти очищенных фисташек • 5–6 зерен кардамона • 1/2 ч. л. мускатного цвета • 1 ч. л. соли • 2 ст. л. крупитчатой муки • 7–8 яиц • 200 г мелкого сахара • 1 ст. л. масла • 2 сухаря

Смотря по величине предполагаемого пудинга, взять от одного до трех и более белых хлебов, нарезать ломтиками или изрезать небольшими кусочками, смочить в молоке.

После этого, смешав хлеб с говяжьим почечным салом или (еще лучше, если есть) говяжьим мозгом из костей, а при неимении того и другого с очищенным хорошим коровьим маслом, изрубить помельче вместе. Прибавить к этому изюм, коринку или кишмиш, толченый миндаль, фисташки, кардамон, мускатный цвет, соль, муку и свежие сырые яйца. Все это хорошенько перемешать, и если густо, подлить немного молока.

Затем положить всю смесь в салфетку, обмазанную маслом, но не завязывать крепко, и опустить в котел с горячею водою, варить час.

Либо выложить пудинг в достаточной величины кастрюлю или форму, обмазанную внутри и обсыпанную толчеными сухарями, и поставить на полчаса в печь.

Подавать с каким-нибудь ягодным сиропом или сабайоном.

№ 2. Пудинг из белого хлеба, иначе приготовленный

3–4 французских белых хлеба (по 200–250 г) • 700 мл молока • 200 г говяжьего костного мозга или почечного жира • 200 г сливочного масла • 200 г кишмиша или коринки • 200 г очищенного сладкого миндаля • 5–6 штук горького миндаля • 1/2 горсти очищенных фисташек • 5–6 зерен кардамона • 1/2 ч. л. мускатного цвета • 1 ч. л. соли • 2 ст. л. крупитчатой муки • 8 яиц и 8 яичных желтков • 200 г мелкого сахара • 1 ст. л. масла • 2 сухаря • Цукаты • Корица • Цедра 2 лимонов

Обрезав корки с нескольких белых хлебов, смотря по величине пудинга, мякиш искрошить в кастрюлю, мочить свежим молоком, варить на плите, чаще мешая, а потом, сняв с плиты, дать остыть.

После того подмешать говяжьего из костей мозга (или почечного жира) и свежего коровьего масла, стертого с цельными яйцами и желтками. Прибавить коринку, изюм, цукаты, корицу, цедру, стертую с лимонов на сахар, несколько фисташек и сахар.

Всю эту смесь положить в кастрюлю, смазанную коровьим маслом и обсыпанную толчеными сухарями, поставить на полчаса в печь, чтобы пудинг хорошенько запекся.

При подаче на стол выложить его на блюдо и посыпать сахаром.

№ 3. Пудинг из сливок

6 яиц • 200 г сахара • 1,5 л сливок • 800 г муки • 100 г сливочного масла • 1 ч. л. корицы • 1 ч. л. соли • Тертые сухари

Взбить яйца с мелким сахаром и корицей, смешать с кипячеными и уже остывшими сливками, всыпать постепенно муку, положить растопленное масло и соль, размешать, вылить в кастрюлю, смазанную маслом и обсыпанную сухарями, поставить на полчаса в печь.

№ 4. Пудинг из риса

200 г риса • 200 г вишен (кто желает) • 200 г сахара • 7 яиц • 5–6 сухарей

Для сабайона: 4 яичных желтка • 4 ст. л. мелкого сахара • 1 стакан белого вина

Разварить хорошенько рис, протереть сквозь сито.

Сварить в воде вишни (можно и не класть), протереть сквозь сито, смешать с сахаром и варить до густоты. Смешать вместе протертый рис и вишни, прибавить семь желтков и пену из семи белков, тертые сухари.

Все вымешать получше, завязать в салфетку и кипятить в воде полтора часа, или выложить в кастрюлю, смазанную маслом и обсыпанную измельченными сухарями, и поставить на 45 минут в печь.

Подавать с сабайоном, который приготовляется следующим образом. Четыре желтка взбивать веничком с мелким сахаром на плите и держать на огне, не давая кипеть, пока желтки не поднимутся. Снять с огня, развести белым вином и подавать.

№ 5. Пудинг из муки

400 г крупитчатой муки • 200 г сливочного масла • 10 яиц • 200 г мелкого сахара • 500 мл сливок • 1 ч. л. толченой корицы • 200 г изюма • 1 ч. л. соли • 4 сухарями

Взять пять-шесть яичных желтков, размешать с сахаром, 100 граммами масла и мукой, замесить покруче тесто, раскатать его потоньше и накрошить в виде не очень мелкой лапши. Потом обварить эту лапшу кипящими сливками.

Слегка поджарить в кастрюле две столовые ложки сливочного масла, остудить, прибавить пять яичных желтков, толченую корицу, изюм и десять взбитых белков. Все это выложить в кастрюлю, обмазанную внутри маслом и обсыпанную сухарями, и поставить в печь на полчаса, а когда поспеет, выложить пудинг на блюдо.

№ 6. Сладкий пирог

800 г крупитчатой муки • Дрожжи • 2 яйца • 100 г коровьего или постного масла • 1 ч. л. соли • 200 г варенья • 1 ст. л. мелкого сахара • 1 яйцо для смазывания

Накануне замесить тесто на дрожжах, как сказано в разделе XI

(«Приготовление разных родов теста», пункт «а»). Дать подняться раза два.

Утром раскатать из теста две круглые лепешки, одну положить на круглую сковороду, смазанную маслом, обрезать кругом. На эту лепешку положить варенье, закрыть другою лепешкою, обрезать по сковороде, посыпать сахаром, дать постоять и посадить в печь на полчаса.

Вместо другой лепешки делают решетку, раскатывая тесто в полоски, не очень широкие, и накладывая их на пирог в виде решетки.

Сверху нужно смазать тесто яйцом или постным маслом. В тесто можно положить сахар (полстакана).

№ 7. Торт с яблоками

5 яблок • 1,5 л густых сливок • 10 яиц • 700–800 г белого хлеба • 1 стакан мелкого сахара • 10 зерен кардамона • 1 ст. л. меда • 4 сухаря • 1 ст. л. масла

Очистить яблоки, вынуть сердцевину. Изрезать яблоки мелкими кусочками, смешать с густыми сливками, десятью желтками и натертым белым хлебом, приправить сахаром и кардамоном, добавить десять взбитых белков.

Выложить в смазанную маслом и обсыпанную тертыми сухарями форму и поставить на полчаса в печь.

№ 8. Торт с вареньем

300 г коровьего масла • 8 яиц • 200 г мелкого сахара • 400 г муки • 400 г варенья

Для глазури: 2 ст. л. розовой воды • 1 ст. л. сахара

Коровье масло растереть ложкою, пока не побелеет. Потом один за другим выпустить в масло восемь яичных желтков, положить сахар, пену от восьми белков и муку, замесить тесто.

Сделать две лепешки, одну положить на блюдо и обрезать кругом. На эту лепешку положить варенье, накрыть ее другою лепешкою, обрезать и посадить в печь.

Через час, когда поспеет, вынуть, заглазировать и дать глазури засохнуть в печи.

Глазурь делается так: розовую воду размешать с ложкой сахара.

№ 9. Яблочный воздушный пирог

10 яблок • 300 г мелкого сахара • 6–8 ст. л. рыбьего клея • 1/2 стакана белого вина

Испечь яблоки, протереть сквозь сито, сложить на глубокое блюдо. Всыпать сахар, добавить пену из десяти белков и бить на льду, пока не поднимется. Потом положить рыбий клей, разваренный в белом вине, размешать, разложить в формы или на том же блюде поставить на 5—10 минут в печь.

Подать на том же блюде или в тех же формах.

№ 10. Шарлотка из яблок

10 яблок • 400 г мелкого сахара • Цедра 1 лимона • 400 г белого хлеба • 1/2 ст. л. масла • 200 г варенья • 1 стакан красного вина • 1/2 ч. л. корицы

Очистить яблоки, вынуть сердцевину, сварить их в кастрюле с 200 граммами сахара, постоянно мешая лопаточкою, чтобы сделался мармелад. Прибавить лимонную цедру и протереть сквозь сито.

Нарезать из белого хлеба четырехугольных ломтиков, уложить их на дно и по бокам кастрюли, которую нужно сперва смазать маслом. Смешать яблоки с вареньем и выложить в кастрюлю, верх же заложить ломтиками белого хлеба и поставить в печь.

Подавая, облить шарлотку следующим сиропом: 200 граммов сахара смешать со стаканом красного вина и стаканом воды, прибавить толченую корицу и сварить густой сироп.

№ 11. Бисквиты

6 яиц и 4 белка • 300–400 г сахара • 1 чайная чашка картофельной муки • 5–6 зерен кардамона (кто желает) • Варенье

Взбить в густую пену десять белков, а шесть желтков стереть с сахаром, смешать, прибавить картофельную муку, хорошенько размешать (можно положить толченый кардамон),

разложить в бумажные коробочки и посадить в вольный дух на 15 минут.

Когда бисквиты поспеют, вынуть, дать остыть и положить на каждый варенье.

№ 12. Пирожное с меренгою

4 яйца и 4 белка • 200 г сливочного масла • 300 г сахара • 400 г муки • Ваниль

Для мармелада: 4 яблока • 200 г сахара

Растереть добела масло с 200 граммами сахара, прибавить муку и четыре яйца, вымешать, намазать слоем в палец на бумагу, которую положить на железный лист, и поставить на 10—15 минут в печь.

Когда поспеет, намазать мармеладом и покрыть взбитыми в пену белками, к которым прибавить сахар и ваниль. Нарезать кусочками, посыпать самым мелким сахаром и поставить на пять минут в печь, чтобы запеклись белки.

Мармелад готовится так: испечь или разварить яблоки, протереть сквозь сито, смешать с сахаром.

№ 13. Рассыпчатое пирожное

400 г сливочного масла • 200 г сахара • 2 яйца • 1 рюмка рома • 400 г муки • 1/2 ч. л. соли

Для глазури: 1 ст. л. сахара • 2 ст. л. померанцевой воды

Растереть добела масло, всыпать сахар, положить яйца, добавить ром, соль, всыпать муку, чтобы вышло довольно крутое тесто, которое вымешать на льду. Потом раскатать это тесто, нарезать кусочками или кружочками, поставить на листе на 15 минут в печь.

Заглазировать глазурью (см. рецепт № 8 этого раздела).

№ 14. Трубочки на белом вине

600 г муки • 200 г мелкого сахара • 4 яйца • 1 стакан белого вина • 1/2 ч. л. корицы • 1/2 ч. л. соли

Для начинки: Сахар • Густые сливки

Муку, сахар и соль размешать с половиной стакана белого вина, прибавить корицу, яйца и развести остальным вином так, как нужно для вафель.

Разогреть вафельную форму, смазать воском и, наливая тесто, перепечь его. Как только снимаешь вафлю, навертывать ее на скалку, дать остыть, а потом положить на блюдо.

В трубочки можно положить взбитую с сахаром пену из густых сливок.

№ 15. Безе

8 яичных белков • 200 г мелкого сахара • Цедра ½ лимона • Малиновый или вишневый сироп либо варенье (или для пены ½ стакана густых сливок, 1 ст. л. сахара и ваниль)

Взбить белки, прибавить натертую цедру и мелкий сахар, смешать вместе. Класть ложкою на бумагу небольшие лепешечки и давать в печи зарумяниться (5 минут).

Когда остынут, снять осторожно с бумаги, вырезать у этих лепешечек небольшие отверстия, в которые влить сироп или варенье (или сливочную пену с ванилью) и закрыть отверстия при подаче на стол.

№ 16. Миндальное пирожное

200 г сладкого миндаля • 5 штук горького миндаля • 12 яичных желтков и 12 яичных белков • 200 г сахара

Обдать кипятком сладкий и горький миндаль, снять кожицу, истолочь миндаль как можно мельче, подливая воду, чтобы не замаслился; смешать с желтками и взбитыми в пену белками, сахаром.

Выложить на блюдо или в бумажные коробочки и поставить в печь.

№ 17. Взбитые сливки с бисквитами

700 мл густых сливок • 1½ ч. л. гуммиарабика • 3 ст. л. воды померанцевых цветов • 100 г картофельной муки • 200 г мелкого сахара • 6 яичных желтков и 6 белков • Чухонское масло для смазывания

Густые сливки взбить веничком вместе с гуммиарабиком, распущенным в двух столовых ложках воды померанцевых цветов. Когда сливки поднимутся

и сделаются похожими на свежевыпавший снег, выложить их ложкою на блюдо и подавать с бисквитами, которые приготовляются так.

Желтки растереть с мелким сахаром, пока не побелеют, прибавить ложку воды померанцевых цветов. Взбить белки и смешать их с желтками, прибавить картофельную муку, размешать, разлить в бумажные коробочки, смазанные чухонским маслом, и поставить в вольный дух на 10—15 минут. Когда поспеют, обложить ими взбитые сливки.

№ 18. Пасха

2 кг творога • От $1^1/_2$ до 2 стаканов сметаны • Цедра с 1 лимона (или $^1/_2$ ч. л. ванили) • 200–300 г сливочного масла • 2 ч. л. соли (без верха) • От $^1/_2$ до 1 стакана мелкого сахара • От $^1/_2$ до 1 стакана кишмиша • $^3/_4$ стакана коринки

Для украшения: Горсть изюма • Горсть миндаля

Свежий творог положить на 24 часа под гнет.

Потом творог протереть сквозь решето, смешать с самой лучшей сметаной, сливочным маслом, солью, сахаром, добавить кишмиш и коринку, натертую цедру лимона.

Все это как можно лучше перемешать, чтобы не было комков, сложить в деревянную пасхальницу, обложенную салфеткою, положить сверху дощечку и гнет, оставить на 24 или 48 часов и затем, выложив на блюдо, украсить пасху изюмом и миндалем.

Раздел XVIII

Кремы, бланманже, компоты, желе и мороженое

№ 1. Крем

700 мл свежих густых сливок • 50 г рыбьего клея • 200 г сахара • 1 лимон (или 1/2 ч. л. толченой ванили)

Взбить прежде на льду свежие густые сливки.

Потом разварить рыбий клей в стакане воды, процедить, дать остынуть и положить в сливки с прибавлением наскобленной с одного лимона цедры и тертого об лимон толченого сахара. Все это перемешать хорошенько, выложить в форму и застудить.

Вместо цедры можно положить толченую ваниль.

№ 2. Бланманже

400 г сладкого миндаля • 25 г горького миндаля • 1,5 л молока • Небольшой кусочек ванили • 50 г осетрового клея или желатина • 3 стакана сахара

Растолочь сладкий и горький миндаль как для миндального молока. Вскипятить густое хорошее молоко с этим миндалем, сахаром и кусочком ванили. А между тем разварить осетровый клей или желатин в стакане воды, смешать с молоком, процедить через салфетку, разлить в формы и застудить. Перед подачею опустить форму в теплую воду минуты на две, чтобы бланманже отстало, и выложить на блюдо.

№ 3. Бланманже шоколадное

100 г шоколада • 1,5 л молока • 1/2 стакана сахара • 50 г осетрового клея или желатина

Шоколад натереть на терке, сварить с молоком и сахаром, влить клей или желатин и далее поступать, как сказано в предыдущем рецепте.

№ 4. Бланманже шоколадное постное

100 г шоколада • 100 г сладкого миндаля • 10 штук горького миндаля (или 1/2 ч. л. толченой ванили) • 35–50 г осетрового клея • 1/2 стакана мелкого сахара

Натереть шоколад, растопить в кастрюльке, развести молоком из сладкого и горького миндаля, процедить, всыпать сахар, прибавить клей, распущенный в половине стакана воды, вылить в форму и застудить. Вместо горького миндаля можно взять половину чайной ложки толченой ванили.

№ 5. Печеные яблоки

6–8 яблок • 100 г белого хлеба • 100 г сахара • Корица • 1/2 ст. л. масла

Очистить яблоки, обвалять в тертом хлебе, сахаре и корице. Смазать кастрюлю маслом, положить яблоки, закрыть и испечь.

Можно также поступить так: перемытые неочищенные яблоки сложить на сковородку, подлить две-три ложки воды, посыпать их сахаром и мелкой корицей и испечь в печи, поливая соком.

№ 6. Компот из яблок и чернослива

6 яблок • 4–5 гвоздик • 1/2 ч. л. корицы • 3/4 стакана мелкого сахара • 200 г чернослива

Очистить яблоки, вынуть сердцевину, разрезать яблоки пополам и начетверо и сварить в воде с корицею, сахаром и гвоздикой. Когда яблоки поспеют, откинуть на решето и положить на блюдо.

В яблочный сироп опустить чернослив, дать поспеть, уложить на блюдо вместе с яблоками, а сироп уварить, прибавив в него сахар.

№ 7. Компот из ягод

800 г разных ягод • 1/2 ч. л. корицы • 200 г сахара • 2–3 гвоздики

Взять разных ягод, перебрать, перемыть и обдать горячим сиропом из сахара, воды (полтора-два стакана), гвоздики и корицы. Подавать, когда компот остынет.

№ 8. Желе из красного вина

3 стакана красного вина • 40 г осетрового клея или 80 г желатина • 1 стакан мелкого сахара • 1/2 ч. л. корицы • Цедра с 1/2 лимона

Взять красное вино и полстакана воды, разварить в этом осетровый клей или отдельно желатин в стакане воды, положить сахар, цедру лимона, дать кипеть полчаса. Выдавить туда сок из половины лимона, процедить сквозь салфетку, разлить в формы и застудить.

№ 9. Апельсинное желе

6 апельсинов • 50 г рыбьего клея или желатина • 1/2 бутылки сотерна • 1 стакан сахара • 2 яичных белка для осветления

С апельсинов стереть сахаром цедру, середку выбрать, вынуть семена.

Положить в кастрюлю рыбий клей или желатин, добавить сотерн, сахар и внутренности апельсинов, вскипятить, процедить.

Взбить белки, добавить в кастрюлю, вымешать и дать вскипеть. Снять с огня, наложить на крышку кастрюли горячих угольев, дать постоять 15 минут, процедить и разлить в апельсинные корки или формочки.

№ 10. Сливочное мороженое

10 яичных желтков • 400 г мелкого сахара • 700 мл густых сливок • 1 ч. л. истолченной ванили

Смешать хорошенько яичные желтки с сахаром.

Сливки сварить с ванилью, развести ими желтки, взбитые с сахаром, и взбивать все на огне хорошенько, не давая кипеть. После этого, сняв с огня, мешать их еще, пока не остынут.

Вылить в форму для мороженого. Поставить на лед, обсыпать форму льдом с солью и вертеть, пока не обратиться в мороженое.

№ 11. Малиновое мороженое

10 яичных желтков • 400 г мелкого сахара • 700 мл густых сливок • 2 стакана малинового сока или сиропа

Стереть яичные желтки с сахаром, смешать хорошенько со сливками и малиновым соком или сиропом, влить в форму и поступать далее, как сказано в предыдущем рецепте.

Раздел XIX

Варенья и сиропы

ОБЩИЕ ПРАВИЛА

Взять пять стаканов сахарного песка и пять стаканов воды, поставить в тазу на огонь, дать кипеть тихо час, снимая дочиста пену, потом поставить в холодное место на сутки. Когда сахар отстоится и нечистота вся осядет на дно, слить чистый сироп, уварить до надлежащей густоты, смотря по тому, какое варенье будет вариться в нем. Тазики обычно берут медные. Лучше варить в небольших тазиках, чтобы за один раз сварить килограмма два варенья. Сиропа приготовлять не более половины тазика; когда сироп будет готов, положить ягоды. Мешать ложкою варенье никогда не следует, нужно только слегка потряхивать тазик. Для обыкновенного варенья берется килограмм сахара на килограмм ягод. Сварив варенье, не оставлять в тазике, а тотчас вылить в каменную посуду.

№ 1. Брусника, отваренная в патоке или в сахаре

На 1 кг брусники 2 кг патоки или сахара • Корица, гвоздика, цедра лимона, яблоки (кто желает)

Взять не совсем спелой брусники и вдвое против того весом самой чистой патоки, которую варить прежде одну на малом огне до тех пор, пока не загустеет. Потом всыпать бруснику и варить, пока не будет готова. Остудить и выложить в банку.

В бруснику можно класть корицу, гвоздику, нашинкованную цедру лимона и пополам или начетверо нарезанные яблоки.

Если брусника варится в сахаре, то положить в таз сперва бруснику, а когда даст из себя сок, положить мелкий сахар и варить, снимая пену. Бруснику можно заваривать и без сахара, в таком случае его примешивают при употреблении.

№ 2. Вишни в сахаре с косточками

На 1 кг вишен 1 кг сахара

Взять самых лучших вишен, обрезать стебли. Перебрать вишни, перетереть их хорошенько, дать им вскипеть несколько раз в сиропе из сахара, уваренном, как сказано выше.

№ 3. Малина

На 1 кг малины 1 кг сахара

Взять малины не очень спелой и сколько возможно целой, очистить, перемыть, обобрать, перебрать и положить в каменную чашу, которая бы была на дне более плоская, чем крутая. Сварить сироп, как сказано в общих правилах, вылить на малину, дать остыть. Когда она вберет в себя сахар, для чего довольно будет того времени, которое потребно для простужения ее, тогда выложить малину осторожно в таз и варить, снимая пену до тех пор, пока не перестанет накипать.

Вылить в каменную посуду, остудить, перелить в банки и не покрывать, пока не простынет варенье.

№ 4. Смородина

На 0,4 кг смородины 0,6–1 кг сахара

Можно варить кистями или ягодами. Дабы варить кистями, надобно выбирать самую лучшую и прозрачную смородину, класть в густой сахарный сироп, дать несколько раз вскипеть, снимая пену, и оставить так до другого дня. Вынуть смородину из сиропа и переварить его, а потом вылить на плоды в каменной посуде, затем переложить в банки.

Если же варить смородину ягодами, то положить в сироп смородину и давать хорошенько кипеть, снимая чаще пену. Потом снять ягоды с огня и, дав постоять, переварить их еще.

Если же желают приготовить ягодное желе, то переваривать его до тех пор, пока сироп не превратится в желе, что узнать можно, когда сироп будет не литься, а падать листом. Тогда снять с огня и обобрать пенку, если это нужно; дать вполовину остыть и вылить в банки.

Можно также варить вишневый сок в сахаре, которому дают несколько раз вскипеть. Потом кладут в него смородину и дают ему вскипеть раз до двадцати, а за сим некоторое время постоять. Наконец переваривают в настоящий сироп и, остудив, выливают в банки.

№ 5. Сироп вишневый

На 2 кг вишен 2 кг сахара

Сварить сахар, положить в него самые спелые вишни, вынув из них косточки и обобрав стебельки, и дать им раз двенадцать вскипеть. Снять с огня и снять пену. Потом опять поставить на жар, дать вскипеть раз восемь-десять, а после процедить сквозь сито. Если сироп негуст, то еще дать несколько раз вскипеть, а когда простынет, разлить в бутылки.

№ 6. Сироп малиновый

На 1 кг малины 2 кг сахара

Набрав ягод, вскипятить, протереть сквозь сито; влить сок в уваренный сахар и варить до тех пор, пока не получится обыкновенный сироп и не перестанет накипать пена.

▶ Примечание. Так приготовляются сиропы из всех прочих ягод.

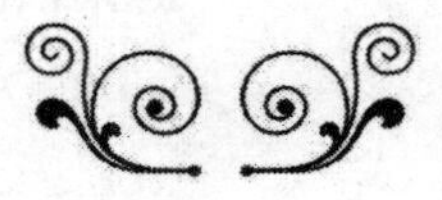

Раздел XX

Куличи, бабы и хлеб

ОБЩИЕ ПРАВИЛА

При печении белого хлеба нужно соблюдать следующие правила:

1. Мука берется самая сухая и просеянная.

2. Тесто месить руками или выбивать веселкою до тех пор, пока оно не станет отставать от рук и стола или горшка.

3. Тесто ставить в теплое, но не горячее место и покрывать в несколько раз сложенною салфеткою.

4. Тесту давать подниматься три раза: 1) растворив его, 2) замесив и 3) уже на листе.

5. Тесто должно быть так густо, чтобы резалось ножом и чтобы оно при этом не тянулось и не надо бы было подсыпать муки, а только немного смазать руки маслом.

6. Смазывать булки сверху яйцом, постные же — постным маслом.

7. Если булки пекутся в бумажных формах, то вымазать их маслом; а тесто делать так густо, как на оладьи.

8. Вынув булки и прочее из печи, положить их одним краем на стол, а другим — на решето, если они пеклись на листе, и покрыть салфеткою.

№ 1. Кулич

2 кг крупитчатой муки • 2 ст. л. дрожжей • 1,5 л парного молока • 600 г коровьего масла • 6 яиц • 2 яйца на смазку • 200 г кишмиша • 200 г коринки • 200 г мелкого сахара • 12 зерен кардамона • 1/4 ч. л. корицы • 100 г сладкого миндаля • 1/4 ч. л. ванили • 5–8 г шафрана • Мускатный цвет • Соль

С вечера сделать опару из 400 граммов муки, молока и дрожжей, поста-

вить в теплое место, чтобы опара взошла.

На другой день растопить коровье масло, процедить сквозь сито в муравленую чашку. Когда масло станет остывать, тереть деревянною ложкою в одну сторону, пока оно не сделается густо и бело, как сметана; тогда положить в масло одно за другим шесть яиц, продолжая тереть.

Дав опаре хорошо подняться, положить в нее масло, немного соли, кардамон, корицу, мускатный цвет, кишмиш, коринку, мелкий сахар, половину очищенного миндаля, ваниль, оставшуюся муку и замесить густое тесто. Вымешать хорошенько, дать раза два подняться и каждый раз бить минут десять веселкой.

Потом выложить на стол, перевалять, разделить на три части: скатать одну большую булку, другую булку скатать вполовину меньше, положить на первую, и, наконец, третью еще меньше, уложить наверх, надрезать с четырех сторон и дать ей вид креста.

Сделать украшения, например, раскатав тесто веревочкой толщиною в гусиное перо или тоньше, вывести разные фигуры или род фестонов.

Дав куличу подняться, натыкать оставшийся миндаль и изюм, смазать сырым яйцом и поставить в печь. Нужно следить, чтобы кулич хорошо выпекся, но не пересидел, что узнается по легкости кулича или для чего прокалывают его тоненькой деревянной спичкой.

В кулич можно также положить шафран, размочив его в молоке и процедив сквозь салфетку.

№ 2. Еще кулич

1,2 кг муки • 3 ст. л. дрожжей • 1 л парного молока • 400 г коровьего масла • 4 яйца • 200 г сладкого миндаля • 200 г изюма • 100 г коринки • 100 г мелкого сахара • 1 ч. л. соли

Поставить опару из 800 граммов муки, хороших дрожжей и парного молока. Когда опара поднимется, замесить тесто, прибавив растопленное коровье масло, три яйца, 400 граммов муки, соль, очищенный и искрошенный сладкий миндаль, перемытый

и вычищенный изюм, перебранную коринку и мелкий сахар.

Замесив тесто, дать подняться, сделать кулич, как сказано в предыдущем рецепте, смазать сверху яйцом и поставить в печь.

№ 3. Польская баба

1,6 кг муки • 20 яиц • 3 ст. л. дрожжей • 1 ч. л. соли • 1/2 чайной чашки рома • 200 г сахара • 1/2 рюмки шафранной настойки • 10 штук сладкого миндаля • 6–8 зерен кардамона • 1 л молока • 400 г коровьего масла • Тертые сухари

Для глазури: 3 ст. л. розовой воды • 2 ст. л. мелкого сахара

Для украшения: Цукаты • Варенье

Приготовив опару (см. в разделе XI, «Приготовление разных родов теста», пункт «а»), всыпать 400 граммов муки в корытце для теста, влить тепловатое вскипяченное молоко, размешать, накрыть и дать опаре подняться.

Растереть двадцать яичных желтков с сахаром, пока они не сделаются густыми и не поднимутся наполовину. Положить их в тесто, прибавить еще 400 граммов муки, размешать до гладкости и поставить на час в теплое место.

Когда тесто поднимется, размешать и подсыпать постепенно еще столько муки, пока не образуется такое тесто, которое легко можно захватывать рукой. Тогда выбить его в течение часа, ибо чем лучше выбито тесто, тем нежнее будет баба.

Затем положить масло, ром, кардамон, нарезанный сладкий миндаль, соль, добавить настойку из шафрана и взбитые в пену белки. Вымесить, положить в форму, смазанную маслом и обсыпанную тертыми сухарями, так, чтобы она была полна только до половины, дать подняться в теплом месте настолько, сколько было теста, и осторожно поставить в печь.

Через час-два баба поспеет. Тогда вынуть ее, поставить около печки, дать немного остыть и вынуть из формы.

Покрыть верх глазурью и убрать цукатами и вареньем. Глазурь готовится так: размешать розовую воду с сахаром.

Если бы тесто оказалось очень густым, то прибавить чашку сли-

вок, а если жидкое — то чашку муки.

№ 4. Ситный хлеб

Ржаная мука • Дрожжи • Соль • Квас • Анисовое семя

Просеять ржаную муку сквозь частое сито, сделать опару, как сказано в общих правилах к пирогам (см. в разделе XI, «Приготовление разных родов теста», пункт «а»), замесить поутру ржаною мукою, положить соль, а когда тесто выходится хорошо, скатать его, положить в чашки, дать подняться, помазать квасом, посыпать анисом и посадить в печь.

№ 5. Кисло-сладкий хлеб

2,2 кг ржаной муки • Кусок закваски • Кусок дубовой коры • 2 горсти сухой, мелко изрубленной померанцевой корки • 1/4 стакана тмина • 2–3 стакана меда или патоки • Соль • 2 ст. л. дрожжей • Яйцо или квас для смазывания

Нужно три дня, чтобы поспел этот хлеб. Муку провеять сквозь частое сито. В первый день взять литр кипятка и смешать в нем столько муки, чтобы стояла ложка в тесте, бить веселкою, пока тесто не станет более приставать к веселке. Закрыть и поставить в теплое место, пока не простынет. В тот же день всыпать остальную муку и вымесить хорошенько тесто.

На другой день опять вымесить, положить кусок закваски и кусок дубовой коры; около обеденного времени еще вымесить, а также и вечером. Закваска и кора остаются в тесте до утра третьего дня, когда их нужно вынуть.

Вымесить тесто утром и перед обедом, прибавить мелко изрубленную померанцевую корку, тмин, мед или патоку, чтобы хлеб не скоро черствел, положить соль и дрожжи. Дать подняться, свалять хлебы, смазать яйцом или квасом, посыпать тмином, посадить в печь, дать сидеть два часа. По прошествии этого времени задние хлебы пересадить ближе к устью печки, а передние отодвинуть назад.

№ 6. Ржаной хлеб

4 кг ржаной муки • Вода • Оставшееся в квашне тесто

В квашне всегда надобно оставлять небольшой кусок теста.

Просеяв муку с вечера, взять тепловатой воды, развести ею тесто, которое оставалось в квашне, прибавить столько муки, чтобы раствор не был очень густ и стекал с весла. Покрыть квашню холстом, поставить к печи, а если холодно, то на печь, подложив только доску, чтобы не было очень горячо.

В три часа утра прибавить еще муки, размешать хорошенько веслом, то есть претворить, а в восемь часов замесить и вымешать веслом или рукою. Если тесто хорошо вымешано, то оно отстает от весла.

Пока тесто поднимается, затопить печь. Перекатать тесто в хлебы, положить в чашки, для этого приспособленные, дать хлебам подняться и посадить в печь. Нельзя определить время, сколько нужно сидеть хлебам в печи, смотря по тому, велики они или малы, круты или жидки; лучше месить круто и делать небольшие хлебы. Узнавать, готовы ли хлебы, можно по их легкости.

Раздел XXI
Напитки

№ 1. Квас

2 кг ржаной муки • 1,4 кг солода • 1,5 л квасного сусла • 200 г пшеничной муки • 100 г гречневой муки • 1 чайная чашка дрожжей • Мята

Солод положить в кадку, налить два ковша воды, оставить на час, всыпать килограмм муки, размешать с солодом, прибавляя кипятка; вымешать хорошенько. Всыпать остальную муку, прибавить еще кипятка, размешать, накрыть и оставить до тех пор, пока не будет готова печь. Выложить в корчаги и поставить в печь, которую надобно вытопить пожарче.

На другой день вынуть, оставить до вечера. Взять кадку достаточной величины, выложить из корчаг, влить одно ведро воды, мешать, пока не исчезнут комки, влить еще воды, опять мешать, наконец налить полную кадку, оставить в покое на сутки, в продолжение которых вымешивать несколько раз.

Потом взять квасное сусло, пшеничную и гречневую муку и разбить мутовкою, положить дрожжи, поставить в теплое место. Когда начнет бродить, влить еще бутылку кваса, вымешать и дать подняться раза три, мешая каждый раз.

Разлить квас в бочонки, процедить опару сквозь сито, влить в каждый бочонок, положить мяту, поставить и, когда квас перебродит, вынести на лед.

Летом квас разводить и сливать в бочонки на погребе и там же распускать; зимою, когда квас готов, ставить его в такое место, где бы он не замерз.

№ 2. Кислые щи

4 кг ржаной муки • 1 кг пшеничной муки • 1 кг ржаного солода

• 1 кг пшеничного солода • 1 кг ячменного солода • 400 г гречневой муки • Изюм

Солод смешать, обдать кипятком, развести через час кипятком же, положить муку, разбить веслом, дать стоять с час, выложить в корчаги, которые поставить потом в печь на три часа, чтобы прокипело.

Вынув из печи, выложить в кадку, вынести на погреб, развести кипятком и хорошенько размешать. Дав постоять час, положить в кадку кусок льда, а саму кадку обложить также льдом. Когда устоится, процедить сквозь сито, слить в бочонки, сделать опару, запустить и, когда забродит, поставить на лею.

Дня через два разлить в бутылки, положить в каждую бутылку по две изюминки, закупорить и поставить в песок.

№ 3. Морсы из плодов и ягод без сахара

Общее правило. Истолочь в деревянной чашке вымытые и очищенные ягоды, как то: барбарис, смородину и прочее, выложить в полотняный мешок, повесить его в холодном месте, подставить посуду. Когда вытечет весь сок, разлить в бутылки и, закупорив, держать на холоде. Приготовляют морс с сахаром, а именно: на одну бутылку морса положить две столовые ложки сахара, два раза вскипятить. Сохранять в бутылках в холодном месте. Чтобы морс не портился, можно влить по две чайные ложки прованского масла в каждую бутылку. Морс из всех ягод приготовляется одинаковым способом.

№ 4. Лимонный сок

Очистить с лимонов кожуру, вынуть зерна, размять, выложить в полотняный мешок, выжать, процедить и налить в бутылки.

№ 5. Сок из крыжовника

Крыжовник • 3 лимона

Истолочь очищенный незрелый крыжовник, выжать сок в большую банку или бутыль. Нарезать ломтиками три очищенных лимона, вынуть зерна, положить в сок, завязать бутыль тряпкою и поставить на солнце

недели на две. Слить чистый сок, процедить, разлить в бутылки, положить в каждую по одному ломтику лимона или цедру, засмолить, засыпать песком.

Из этого сока хорошо приготовлять желе, прибавив лимонного сока или воды.

№ 6. Пунш

Сахар • Лимоны • Померанцы • Апельсины • Ром • Французская водка • Рейнвейн или шампанское • Арак

1. Стереть на сахар цедру с одного лимона, выжать сок из трех лимонов. Распустить 200 граммов сахара в восьми стаканах кипятка, влить туда три четверти бутылки рома, столько же французской водки, лимонный сок, положить цедру, разогреть на плите и подавать горячим.

2. Стереть на сахаре (400 граммов) цедру с одного лимона и одного померанца, расколоть сахар, положить в миску, выжать туда сок из трех лимонов и двух апельсинов, влить две бутылки рейнвейна и полбутылки арака. Размешивать, пока не разойдется сахар, а потом разлить в стаканы и подавать холодным. Вместо рейнвейна можно брать шампанское.

3. Обыкновенный пунш. Распустить в восьми стаканах кипятка 200 граммов сахара, выжать сок из одного лимона, прибавить полбутылки рома или коньяка, разлить в стаканы, положить в каждый ломтик лимона.

№ 7. Глинтвейн

2 бутылки красного вина • Цедра 1 померанца • Цедра 1 лимона • 3 г гвоздики • 6 г корицы • 300 г сахара • 1/2 мускатного ореха • 1 стакан рома

Вскипятить вместе красное вино, лимонную и померанцевую цедру, гвоздику, корицу, сахар, натертый мускатный орех и ром. Процедить, если угодно, через холст и подавать горячим. Если глинтвейн не довольно сладок, то прибавить сахара.

№ 8. Шоколад

5 яичных желтков

• 1/2 стакана мелкого сахара

- *100 г тертого шоколада*
- *1,5 л молока или сливок*

Растереть желтки с сахаром, прибавить тертый шоколад, развести вскипяченным теплым молоком или сливками, поставить на плиту и бить метелкою, не давая, однако же, кипеть, пока не загустеет и не поднимется густая пена. Тогда разлить в чашки и подавать.

№ 9. Наливки

Плоды или ягоды • Хлебное вино или французская водка • Виноградное вино • Щавель

Наливки делаются из разных плодов и ягод, которые настаивают на хлебном вине или французской водке пополам с виноградным вином. Хлебное вино надо сначала очистить от противного запаха, который заглушает аромат плодов и ягод.

Для очищения взять березовых углей, пережечь, сложить в корчагу, закрыть плотно, потом истолочь не очень мелко. Всыпав немного менее половины бочонка угольев, налить до краев вином, поставить в теплое место, дать стоять неделю, каждый день взбалтывая. Потом, слив вино, процедить сквозь сукно или взять щавель, когда листья и стволы его затвердели, крупно изрезать, насыпать половину бутылки или бочонка, залить вином, поставить в теплое место или на солнце, дать стоять недели две.

№ 10. Наливка из черной смородины

Черная смородина • Хлебное вино • Сахар

Очистить черную смородину от веточек, вымыть, откинуть на сито. Когда стечет вода, всыпать в бутыль, чтобы ягод было полбутыли, налить полную бутыль хлебным очищенным вином, поставить в сухой погреб или кладовую.

Дать стоять два-три месяца, потом слить сквозь чистую холстину с ягод, рассиропить по вкусу сахаром, разлить в бутылки. Так приготовляются все наливки.

№ 11. Шиповки

1,4 кг сахара • 1,4 кг ягод или фруктов • 1 бутылка французской водки

Шиповки приготовляются следующим образом. Налить в большие бутыли семь бутылок холодной воды, в которой распущено 1,4 килограмма мелкого сахара, всыпать 1,4 килограмма свежих зрелых очищенных ягод или фруктов, прибавить бутылку французской водки, взболтать несколько раз бутыли. Завязать их горлышки тонкими холщовыми тряпочками и поставить на двенадцать суток в теплое место, а еще лучше на окно на солнце.

Каждое утро нужно по несколько раз взбалтывать бутыль или осторожно перемешивать палочкою ягоды в бутылях. Когда ягоды начнут подниматься и опускаться в бутылях, что доказывает готовность шиповки, нужно процедить жидкость через сложенную вчетверо салфетку в другую бутыль и поставить на трое суток на лед.

По истечении этого времени, когда шиповка устоится, слить ее, разлить в бутылки из-под шампанского, не наливая до краев, закупорить и перевязать тонкою проволокою или веревкою, как шампанское. Засмолить и поставить бутылки в холодное место, только не на лед, воткнув их горлышками в песок. Оставить так на полтора-два месяца.

Самые лучшие шиповки приготовляются из черной и красной смородины, малины, зрелого крыжовника и прочего.

Раздел XXII

Запасы впрок

№ 1. Солонина

Говядина • Соль • Селитра • Лавровый лист • Английский перец • Гвоздика

Взять сколько угодно говяжьих огузков и филеев, нарезать их большими кусками, вымыть в холодной воде. Посыпать в чистую кадку соли, положить лавровый лист, английский перец и гвоздику.

Вынув кусок говядины из воды, отжать ее, натереть солью и положить в кадку, потом сделать точно так же с другим куском и поступать так, пока не выложится целый ряд (укладывать куски как можно плотнее). Посыпать этот ряд солью, перцем, гвоздикою и лавровым листом. Положить второй ряд говядины, поступая, как выше сказано и нажимая куски как можно сильнее.

Накладывать ряды говядины, пересыпая их солью с пряностями, пока не наполнится кадка. Засыпать последний ряд солью и пряностями, положить кружок и тяжелый камень. На 16,3 кг говядины прибавляется почти 1,2 кг соли, а на 16,3 кг соли прибавляется 400 г селитры, чтобы солонина была красная, а не синяя. Надобно еще заметить, что, соля говядину в теплое время, нужно увеличить количество соли.

Солонина, приготовленная с перцем, лавровым листом и гвоздикою, называется духовою солониной. Для простой же солонины употребляют только соль с селитрою.

№ 2. Провесная говядина

Говядина • Соль

Взять сколько угодно говядины, снять с костей, нарезать длинными кусочками и облить горячим рассо-

лом, взяв на ведро воды 200 граммов соли. Вынести в прохладное место, дать постоять сутки, а потом вынуть говядину из рассола, нанизать на веревочки и повесить на открытом месте.

Когда кусочки высохнут, отнести их в сухое и холодное место.

№ 3. Соленые судаки и щуки

Рыба (судак или щека) • Соль

Распластать рыбу, снять кровь, положить в чистую кадку рядами, пересыпая каждый ряд солью, заложить кружком и навалить камень. Потом поставить в погреб, а летом — на лед.

Точно так же солят и другую крупную рыбу. Только осетрину, белужину и севрюгу нужно сперва вымыть и потом уже солить.

№ 4. Маринованная рыба

1-й способ: Рыба • Соль • Уксус • Мед • Лавровый лист • Английский перец • Душистые сухие травы

Вымыть, очистить и выпотрошить рыбу, изрезать кусками (мелкую не резать), перемыть и положить минут на десять в кипяток. Вынуть позвонки, а мясо положить в прежнюю воду, в которой рыба лежала, посолить, уварить рыбу до готовности и разложить на столе.

Взять уксус, мед, лавровый лист, английский перец и душистые сухие травы, вскипятить с равным уксусу количеством воды, уварить. Сложить рыбу в кадку, залить сказанным отваром, пока он горячий и, не вынимая из него приправ, накрыть кружком.

2-й способ: Рыба • Мука • Яйцо • Сухари • Масло для жаренья

Для заливки: 1 бутылка уксуса • 1/4 стакана меда • 5 зерен английского перца • 2 лавровых листа • 2 гвоздики

Маринуют рыбу и следующим образом (преимущественно мелкую): очистить, выпотрошить, вымыть и посолить рыбу, обвалять в муке или яйце и сухарях, изжарить и залить уксусом, вскипяченным с медом, английским перцем, лавровым листом и гвоздикой.

№ 5. Квашеная свекла

Свекла • Черный хлеб • Вода

Оскрести свеклу ножом, разрезать каждую надвое, уложить в чистую кадку с двумя ломтями черного хлеба, облить тепловатою водою, поставить в сухом погребе. Свекла сама собою закиснет. Надобно наложить на свеклу кружок и придавить их камнем.

№ 6. Кислая капуста

Кочаны капусты • Соль • Анисовое семя • Укропное семя • Тмин

Снять с капусты верхние листья, вырезать кочерыжки, а остальное изрубить, посолить (на двадцать кочанов брать 200—400 граммов соли, смотря по величине их), положить анис, укропное семя и тмин. Набить этою капустою чистую кадку, заложить капустными листьями и кружком и навалить камень.

Если погода теплая, то кадку поставить в погреб, пока не закиснет капуста. Если же погода холодная, то оставить кадку в тепле, чтобы закисла. Пересыпать солью и прочим нужно послойно.

Точно так же приготовляется шинкованная кислая капуста, с тою только разницею, что ее не рубят, а шинкуют машинкою. Для шинкования выбираются тугие кочаны.

№ 7. Огурцы соленые

Огурцы • Соль (400 г на ведро воды) • Укроп • Чабер • Эстрагон • Дубовые листья • Смородиновые листья • Чеснок (кто желает)

Перебрав огурцы, чтобы не было порченых, перемыть и сложить в кадки или бочонки, перекладывая душистыми травами: укропом, чабером, эстрагоном, дубовыми и смородиновыми листьями, и прибавляя, если угодно, чеснок. Потом из соли и воды приготовить рассол, вскипятить, простудить и залить огурцы. Впрочем, рассол можно и не кипятить, а заливать сырой (только для малосольных).

Если огурцы посолены в бочонках, то их закупоривают,

а если в кадках, то кладут сверху кружки, а них камни.

№ 8. Яблоки моченые

Яблоки • Эстрагон • Базилик • Соль (100 г на ведро воды)

Перебрать и вымыть яблоки, сложить их в кадку или бочонок, пересыпая эстрагоном. Сварить из воды и соли рассол, прибавить во время варки немного эстрагона и базилика, остудить и вылить рассол на яблоки, закупорить их и поставить в холодное место.

Приготовляют еще такой рассол: на ведро воды кладут 800 граммов меда или патоки, 100 граммов соли, эстрагона и кипятят в течение получаса, а потом, остудив, наливают на яблоки.

№ 9. Брусника моченая

Брусника • Мед или патока • Соль • Гвоздика • Корица

Перебрать ягоды, вымыть, сложить в кадку и залить следующим рассолом: на ведро воды взять 800 граммов меда или патоки, 2 столовые ложки соли, 50 граммов гвоздики, 50 граммов корицы, вскипятить, остудить и вылить на ягоды.

№ 10. Рыжики

Рыжики • Соль • Укроп • Уксус • Лавровый лист • Гвоздика • Эстрагон • Укроп • Прованское масло

Перебрать рыжики на два-три сорта. Большие и средние вымыть, дать стечь воде. Положить на дно кадки укроп, посыпать солью, положить два ряда рыжиков и опять посыпать солью. Когда кадка наполнится до половины, положить укроп, а потом накладывать рыжики, как выше сказано, пока не наполнится кадка. Сверху положить укроп, кружок и навалить камней. Поставить на несколько дней в теплое место, а потом отнести на погреб.

Мелкие рыжики перемыть, положить в легкий рассол, варить в течение получаса, откинуть на сито. Смешать равные части уксуса и воды, прибавить соль, лавровый лист, гвоздику,

как для маринованной рыбы в рецепте № 4, эстрагон, укроп, кипятить в течение получаса. Остудить и налить на рыжики, уложенные в банки. Сверху залить прованским маслом, если рыжики не скоро понадобятся, закупорить и поставить в погреб.

№ 11. Грузди

Грузди • Укроп • Соль

Перебрать грузди на сорта, перемыть, залить холодною водою, оставить на сутки. Вынуть из воды, разложить на решета, чтобы вода стекла. Положить на дно кадки укроп, два ряда груздей, посыпать солью и т. д., как сказано в предыдущем рецепте, пока не наполнится кадка. Сверху положить укроп, накрыть кружком, наложить камень. Поставить на несколько суток в теплое место, а потом отнести на погреб.

№ 12. Пикули

Капуста • Огурцы • Турецкие бобы • Неспелая дыня • Тыква • Неспелый арбуз • Грибы • Свекла • Репчатый лук • Шалот • Пом д'амур • Зеленый стручковый перец • Кукуруза • Морковь • Ягоды • Уксус • Соль • Сахар • Перец • Горчица • Укроп • Лимоны • Семена настурции • Эстрагон

Пикули приготовляют из разной капусты, огурцов, турецких бобов, дынь, тыквы, арбузов, грибов, свеклы, лука, шалота, пом д'амур, зеленого стручкового перца, кукурузы, моркови, ягод. Их солят в маленьких бочонках, выбирая лучшие овощи и плоды.

Очистить и разрезать цветную капусту, недозрелую кукурузу, недозрелые дыни и арбузы, положить их в глиняную посудину, залить горячим рассолом, накрыть и оставить на сутки. Турецкие бобы нарезать и вскипятить один раз, а также вскипятить морковь, нарезанную звездочками. Шалот залить самым легким рассолом и поставить в вольный дух на три часа.

Когда все будет готово, взять поровну уксуса и воды (или, если уксус слабый, то две части уксуса и одну часть воды), 200 граммов соли на ведро воды, 200 граммов

сахара, четыре стручка перца, две ложки горчицы, укроп. Кипятить в течение получаса, дать отстояться.

Огурчики перемыть, лимоны нарезать кружочками, разложить в банки, прибавить зеленых стручков гороха, перца, семян настурции, эстрагона. Рассол процедить через сито, налить на пикули, закупорить банки, завязать пузырем и поставить в погреб.

№ 13. Сушение плодов

Вишни сушат следующим образом. Берут самые спелые вишни, которые бы не были помяты, раскладывают их на решете так, чтобы одна с другою не слипалась, и ставят в печь в вольный дух сушиться до того, пока не выйдет вся теплота. Тогда, вынув их из печки, перевернуть другою стороною и снова поставить в печной вольный дух. Затем, вынув из печи, остудить, и, связав пучками, беречь в сухом месте.

Иные сушат вишни сначала на солнце, а потом уже досушивают в вольном печном духе. Надобно смотреть, чтобы вишни не пересушить чрезмерно.

Груши сушить нужно так. Очистив с них кожуру (или и не очищая ее), положить груши в наполненный водою горшок и варить до тех пор, пока не будут мягкими. Потом вынуть и засушить, как сказано выше.

Крупные груши, не очищая и не варя в воде, завяливают сперва на солнце, а потом досушивают в печном вольном духе.

Сливы сушат так же, как вишни. Надобно набирать самых спелых слив. Те, которые сами падают, наилучшие для сушения, потому что уже совершенно созрели и бывают очень вкусны.

Персики сушатся точно так, как сливы, с тою только разницею, что те из них, которые сорваны с дерева, лучше тех, которые сами падают. Сверх того, их нужно разрезать пополам и вынуть из них косточки. Когда они наполовину высушатся, то, положив их на стол, подавить, чтобы всюду одинаково высушились. Потом положить опять в печь, в которой держать до тех пор, пока не высохнут совершенно.

Абрикосы сушатся точно таким же образом, только косточки вынимать нужно, не разрезывая плода.

Для сушения *яблок* надобно сперва разрезать их пополам, нанизать на нитки и потом сушить на солнце или в печном вольном духе.

Подобным же образом поступают при сушении и разных других плодов.

№ 14. Чухонское, сливочное и русское масло

Сливки • Сметана • Соль

Когда делают масло из сметаны и в большом количестве, то тогда нужно сбивать его в маслобойке. Если же приготовляют немного и из сливок, то их наливают в бутылку и трясут до тех пор, пока сливки не обратятся в масло. Из двух литров хорошей сметаны может выйти приблизительно 800 г *чухонского масла*. Сбив масло, его нужно промыть в нескольких водах (вода должна быть летнею) и посолить масло белою высушенною солью в количестве 1,8 кг соли на 16,3 кг масла. Если масло заготовляется на зимнее время, то нужно взять 2 кг соли на 16,3 кг масла.

Масло надо сохранять или в каменных муравленых горшках, или в дубовых либо кленовых кадушках (причем предпочитать старые кадки новым). Посыпав на дно кадки соли, уложить масло рядами и угнетать его, затем сверху, пальца на два, залить соленою водою и закрыть тряпочкою, концы которой не должны свешиваться. Если вода в кадке будет убывать, то нужно доливать свежей.

Сливочное масло нужно предварительно перемыть в свежем пресном молоке, а потом уже в воде.

Русское масло делается так. Положив в хорошо вылуженную кастрюлю или горшок 4 кг чухонского масла, налить двадцать стаканов воды и кипятить на легком огне, пока масло не распустится совсем. Тогда отставить с огня, дать застыть и, проткнув в масле отверстие до самого дна, слить воду; потом налить свежей и опять поставить на огонь. Повторять это три или четыре раза, до того времени, пока вода

не сделается совершенно чистою. Тогда нужно посолить масло, как сказано выше, мелкою и сухою солью, положить в горшок или кадушку, залить пальца на два соленой водой, покрыть тряпкой и сохранять в холодном сухом месте. Так масло может продержаться года три-четыре.

№ 15. Творог и домашний сыр

Молоко • Сметана • Соль • Тмин

Приготовить простоквашу. Когда начнет от нее отделяться сыворотка, то поставить в жарко натопленную печь (лучше всего после хлебов) и оставить там, пока она не обратится в творог. Дать ему остыть в тех же горшках, затем переложить все в один мешок, дать стечь сыворотке и положить творог на покато положенную доску на стол, закрыть сверху тоже доской и положить на нее не очень тяжелый гнет, а через некоторое время — немного потяжелее, а под стол поставить какую-нибудь посуду, в которую бы стекала сыворотка. Через несколько часов, когда стечет вся сыворотка, сложить творог в горшки или кадушки. Из 7 литров молока получается около 1,2 кг творога.

Домашний сыр делается со сметаною и без нее. Если он приготовляется со сметаною, то нужно, ставя простоквашу в печь, смешать ее со сметаною. Вынув творог из мешка, его надо смешать с солью и тмином, но не очень растирать его; затем сложить в треугольные мешочки, завязать и положить под гнет на несколько часов. Когда сыры будут готовы, то сложить их в корзинки, через которые мог бы свободно проходить воздух, или, покрыв сеткою, сушить их летом на открытом воздухе в тени, а зимою — в теплой комнате, подальше от печки. Когда сыры высохнут, то оскоблить их ножом и положить в горшки, пересыпая овсяной соломой, и засыпать ею же сверху горшок. Держать в не слишком сухом и не слишком сыром месте. Если на сыре покажется плесень, то оскоблить его ножом, обмыть соленою водою и высушить.

Если желают иметь сыр послоистее, то для того, чтобы

не растирать творог, он только солится сверху. Или же сыр просто завертывается в тряпочки, намоченные в соленой воде, и оставляется так на сутки.

№ 16. Фритюр, или говяжий жир

Говяжий жир • Яблоки

Покупая говядину, нужно срезать с нее жир, изрезать на мелкие кусочки, растопить вместе с жиром, снятым с бульона в кастрюле, процедить и сохранять в холодном месте. Перед употреблением его нужно вскипятить. Еще лучше поступать следующим образом: мелко разрезать три-четыре антоновских яблока, вскипятить с фритюром, процедить через салфетку в горшок и сохранять в холодном месте. Такой жир приятнее на вкус и не имеет неприятного запаха.

№ 17. Маленькие огурчики, или корнишоны

Огурцы • Соль • Эстрагон • Базилик

Для рассола: 1 бутылка хорошего ренского уксуса • $1^1/_2$ ст. л. соли • $2^1/_2$ ч. л. сахара • $^1/_2$ стручка перца

Взять маленькие огурчики, которые еще не совсем выросли, срезать с них цвет и стебель, перемыть, положить в колодезную холодную воду на шесть часов, затем откинуть на сито и дать обсохнуть. Положить огурчики в какую-нибудь посуду, пересыпать солью и оставить их до тех пор, пока огурчики не дадут сок и соль не распустится. Тогда положить огурчики в банки, пересыпать эстрагоном, базиликом и залить следующим рассолом: на бутылку хорошего ренского уксуса взять полбутылки воды, добавить соль, перец и сахар, вскипятить все вместе, остудить. Залив огурцы, завязать банки и вынести в погреб.

№ 18. Сушеные зеленые бобы

Молодые стручки фасоли • Соль • Селитра

Взять молодые стручки фасоли, содрать с боков жилки, мелко нашинковать вкось, как шинкуют

для соуса. Потом взять полтора литра воды, добавить чайную ложку соли и половину чайной ложки селитры, поставить на огонь. Когда вода закипит, положить нашинкованную фасоль, дать раза два вскипеть, откинуть на сито, чтоб стекла вода, и высушить в печи, положив на решето.

№ 19. Зеленый горох

Взять молодые стручки, вылущить горох. Вскипятить воду в кастрюле, положить горох, дать раз вскипеть, откинуть на сито и высушить в печи в легком духе.

№ 20. Щавель и шпинат

Щавель • Шпинат • Соль • Жир

Сушеный щавель. Перебрать молодой шпинат или щавель, разложить на скатерти, высушить на открытом воздухе и сохранять его в ящиках, переложив бумагой, или в банках.

Соленый щавель. Очистив и перемыв молодой шпинат или щавель, высушить его на открытом воздухе, положить в ведро из не смоленого дерева, пересыпать солью, наверх положить кружок и на него камень. На полведра щавеля взять 400 граммов соли. Если щавель будет опадать, то подбавлять свежего. Этот щавель нужно сохранять в холодном месте, но где он не мог бы замерзнуть. Перед тем как употреблять, перемыть в холодной воде.

Щавель маринованный. Очистив и перемыв шпинат или щавель, отжать его, изрубить, положить в кастрюлю, посолить, поставить кастрюлю на огонь и кипятить, пока не загустеет. Тогда слить воду, положить в ведерки или банки и залить жиром.

№ 21. Сушеные грибы

Сушатся грибы обыкновенно белые и красные, иногда также подберезовики, но они не так хороши в сушке. Можно также сушить сморчки и шампиньоны. Грибы, назначенные для сушки, мыть не надо, а только оскрести ножом, срезать коренья, надеть на нитки, разложить на противни или на солому и поставить в печь на ночь. Если они не совсем высохнут за ночь

в печке, то их можно досушить на солнце.

Для сушки нужно брать крепкие и молодые грибы.

№ 22. Сушеные коренья и зелень

Взять коренья: петрушку, сельдерей, пастернак, морковь и прочие, очистить, нашинковать каждые отдельно, обдать кипятком, откинуть на сито, чтобы стекла вода. Затем разложить их на решето и поставить в печь. Если они не высохнут в один раз, то поставить опять. Затем сложить в банки, каждые отдельно, и потреблять вместо свежих.

Зеленую петрушку, чабер, майоран, кервель заготовляют постоянно в августе, когда они еще не побиты морозами. Петрушку и кервель нужно перебрать, свежие хорошие веточки разложить на решете и поставить в печь на ночь. Если не высохнут за ночь, то досушить на солнце. Затем, сложив в банки, сохранять, как понадобится.

Чабер, майоран, перечную и простую кудрявую мяту, эстрагон нужно связать в пучки и повесить в кладовой или на чердаке, где проходит сквозной ветер, так, чтобы пучки не касались один другого.

СЛОВАРЬ ТЕРМИНОВ

Английский перец, или душистый перец, — сильная пряность, придает блюдам аромат и меняет их вкус. Родина — Антильские острова, но лучшим считается перец, который выращивают на Ямайке.

Анисовое семя — плоды зонтичного растения анис обыкновенный. Имеют терпкий и одновременно приятный аромат. Используются как пряность в кондитерском производстве и кулинарии: при выпечке хлеба, засолке овощей, приготовлении напитков.

Арак — алкогольный напиток, ароматизированный анисом. Крепость, сырье и технология отличаются в зависимости от региона. Распространен на Ближнем Востоке и в Центральной Азии.

Базилик — в переводе с древнегреческого означает «царская трава». Однолетнее растение с разнообразными оттенками аромата — лимонным, мятным, гвоздичным и др. Свежие и сушеные листья базилика применяют в качестве пряной приправы для соусов, овощных маринадов. Широко используется в итальянской и восточной кухне.

Белорыбица, или нельма, — одна из самых крупных (достигает 15 кг) сиговых рыб, относящихся к семейству лососевых. Белое нежное мясо белорыбицы хорошо сочетается с различными соусами из свежих трав, цитрусовых и томатов.

Белужина — одна рыбина белуги. Белуга относится к семейству осетровых, считается самой крупной пресноводной рыбой.

Бешамель (от фр. béchamel, «белый соус») — классический соус из муки, масла и молока.

Бланманже (от фр. blanc — белый, manger — есть) — непрозрачное желе, которое приготовляется из молока, яиц, муки или манной крупы, сахара и желатина. Также добавляют пряности или ароматизатор. В отличие от фруктовых желе,

бланманже бывает только белого цвета или оттенков бежевого (если добавляют кофе или какао). В XVIII — начале XIX века в бланманже обязательно использовали орехи: миндаль, фундук, грецкие.

Бульон куском — сухой бульон.

Бурак — так называют свеклу в южных областях России, на Украине, в Белоруссии.

Весёлка — деревянная лопатка для помешивания.

Вода померанцевых цветов, или померанцевая вода, — очень ароматная жидкость, применяется как добавка в тесто и в сладости. Побочный продукт производства спирта из цветов померанца, горького апельсина.

Вольный дух — жар в истопленной печи после выгреба углей.

Вязига, или визига, — спинная струна (хорда), проходящая сквозь позвоночник осетровых рыб.

Галантир (от франц. galantine) — 1) кушанье из холодной фаршированной дичи; 2) холодная заливная приправа к разным кушаньям, желе (застывший клейкий навар из рыбы, телячьих ножек и т. п.).

Гаше (от франц. hacher, «рубить») — блюдо из жареного или вареного и потом изрубленного мяса.

Головизна — 1) голова и часть хребта осетровой рыбы, употребляемые в пищу; 2) вообще рыбьи головы.

Горчица сарептская, или русская, — однолетнее растение, семена которого в первую очередь используют для получения горчичного масла, а из жмыха семян получают горчичный порошок для пищевых (горчица «вырви глаз») и медицинских (горчичники) целей.

Гуммиарабик, или аравийская камедь, — твердая прозрачная масса, которую выделяют различные виды акации. В кулинарии используется в качестве эмульгатора (для эмульсий из несмешивающихся жидкостей).

Драчена, или дрочёна, — блюдо русской кухни из яиц, замешанных на молоке с крупой, мукой или тертым картофелем.

Закваска — вещество, которое вызывает кислое брожение, например дрожжи.

Земляная груша — топинамбур, съедобные клубни (белые, желтые, фиолетовые, красные), по вкусу похожи на репу и капустную кочерыжку.

Каперсы — нераспустившиеся бутоны колючего кустарника Capparis spinosa. В сыром виде несъедобны. Каперсы употребляют в пищу маринованными или консервированными в уксусе с солью. Вкус у каперсов пикантный, слегка терпкий, кисловатый, немного горчичный. Они придают оттенок и остроту соусам. Их подают к рыбе или мясу, в салатах или в салатных заправках.

Каплун — холощеный, специально откормленный петух и блюдо из него.

Кардамон — многолетнее растение семейства имбирных, произрастает в Южной Индии. В качестве специи используются семена, которые имеют сильный аромат и остропряный, слегка сладковатый вкус. Кардамон применяют как в кондитерском деле (для печенья, булочек, пряников, халвы, других сладких блюд), так и в кулинарии (для тушеной птицы, дичи, плова, для соусов).

Каротель — сорт моркови с коротким округлым корнем.

Картофельная мука — сушеный картофель, размолотый в муку. Картофельную муку иногда ошибочно называют крахмалом.

Квашня — 1) деревянная кадка для теста; 2) опара. Забродившее тесто.

Кервель — однолетнее травянистое растение семейства зонтичных. Применяется как пряность. Обладает сладковатым анисовым запахом, по вкусу напоминает петрушку. Кервель хорошо сочетается со многими травами: эстрагоном, петрушкой, базиликом, и усиливает их аромат в блюде.

Кислые щи — старинный русский сильногазированный безалкогольный напиток из меда и солода. Брожение происходит в запечатанных бутылках, этим технология отличается от приготовления кваса.

Кишмиш — виноград с мелкими бессемянными ягодами.

Кнель (от франц. quenelles) — катышки из рубленого мяса или рыбы.

Коринка — черный мелкий изюм без косточек.

Корчага — большой, обычно глиняный сосуд.

Кострец — нижняя часть крестца в теле животного.

Котлета (от франц. côtele, «ребристый») — изначально под котлетой в России понимали кусок мяса с реберной костью. С конца XIX века в русских кулинарных книгах стали появляться «котлеты рубленые», а потом уж котлетами стали называть изделия из фарша.

Крупитчатая мука (крупчатка) — отборная мука из специальных сортов твердой пшеницы с высоким содержанием клейковины.

Лазанки (от итал. lasagna, «лазанья») — мучное блюдо традиционной белорусской, литовской, польской, русской, украинской кухни. Рецепт появился в XVI веке и был «обработкой» рецепта итальянской пасты.

Летняя вода — вода комнатной температуры.

Майонез — холодный соус из растительного масла, яичного желтка, уксуса и/или лимонного сока, сахара, поваренной соли, иногда горчицы и других приправ.

Майоран — в переводе с арабского значит «несравненный». Пряность, которая придает блюдам особый аромат. Это отличная приправа к баранине, говядине, свинине и жирному гусиному мясу. Им приправляют соусы, картофельные блюда. Хорошо сочетается с тимьяном.

Малага — десертное вино крепостью от 15% до 23%. Производится из винограда, выращенного в испанской провинции Малага, в Андалусии. По содержанию сахара малага бывает от сухой до сладкой.

Медовая сыта — разбавленный в воде мед. По концентрации может быть различной.

Меренга, или безе, — пирожное, которое выпекают из взбитых

яичных белков и сахара. Используют как для украшения десертов и тортов, так и в качестве основы сладких пирогов (меренговые коржи).

Муравленый — покрытый глазурью керамический сосуд.

Мускатный орех — сердцевина плодов мускатника, вечнозеленого дерева. Орех (семя) покрыт мясистым присемянником, мягкой кожицей, из которой получают мускатный цвет. У мускатного ореха и мускатного цвета сильный, утонченный аромат и пряно-жгучий вкус, но разных оттенков. Вкус мускатного ореха — сладкий и интенсивный, а у мускатного цвета более горький. Это две разные пряности.

Мускатный цвет — см. мускатный орех.

Мусс (от фр. mousse, «пена») — сладкий десерт. Делается из трех основных компонентов: ароматической основы (ягодного или фруктового сока, кофе, какао и т. д.), вещества, которое помогает пенообразованию и фиксации пены (желатина, яичных белков) и подсластителя (меда, патоки и т. д.). Также добавляются для вкуса пряности, коньяк, варенье и др.

Мутовка — лопаточка, палочка с кружком или спиралью на конце для взбалтывания или взбивания.

Мякотный кусок — то же, что мякоть.

Нашпиговать — кулинарный прием, применяется в основном для мяса, которое прокалывают или прорезают в нескольких местах, куда вставляют зубчики чеснока, кусочки сала, моркови и т. д. Это делается для повышения жирности мяса или для улучшения его вкуса.

Огузок — бедренная часть мясной туши. Самая выгодная часть для чистого крепкого бульона: она мясистая, мягкая и сочная. Также огузок отлично подходит для котлет, биточков, из него получается прекрасное тушеное и отварное мясо.

Оправить, или заправить, — тушке придают более красивую и компактную форму для равномерного прожаривания

и удобства нарезки на порционные куски. У птичьих тушек прикрепляют ножки и крылья к туловищу либо с помощью «кармашков» (делают разрезы кожи на брюшке и туда вставляют концы ножек), либо с помощью нитки.

Осетровый клей — см. рыбий клей.

Отцветить — осветлить, сделать прозрачным бульон, если он получился мутным.

Папильотка — бумажный манжет на ножках жареных цыплят, индеек и другой птицы.

Пастернак — пряное огородное растение семейства зонтичных, похожее на петрушку. Используется для супов, салатов. Совет: корень пастернака сразу после чистки нужно класть в холодную воду, чтобы он не почернел.

Пасха — невареное сладкое блюдо на основе творога. Приготавливается с добавлением яиц, сметаны, сливочного масла, сахара, изюма, цукатов, корицы, эссенций и т. д.

Патока — густое сладкое вещество, похожее на свежий жидкий мед. Представляет собой полуфабрикат при заводском производстве сахара и крахмала. Бывает патока белая (крахмальная) и черная (из сахарной свеклы). Используется для пряников и некоторых сортов хлеба (бородинского, карельского, рижского и др.). Добавляет выпечке цвет и особенный вкус.

Пеклеванный хлеб — наименование хлеба в XVIII—XIX вв. в России, выпекаемого не из цельной муки, а из муки, прошедшей процесс деления, или пеклевания.

Печения — то же, что выпечка.

Пикули — мелкие маринованные овощи. Употребляются как приправа.

Подболтка — то, что подбалтывают во что-нибудь для вкуса.

Пом д'амур — то же, что томат. Во Франции считали, что томат усиливает и стимулирует половое влечение или половую активность, поэтому назвали его «пом д'амур» — «яблоко любви».

Померанцы — разновидность цитрусовых. Зрелые плоды имеют темно-зеленую кожуру, напоминают мелкие лимоны,

но по форме круглые. Померанцы ценятся своей цедрой, которая используется в кондитерских изделиях: корки высушивают и перетирают в порошок.

Потроха — употребляемые в пищу внутренние органы домашних животных: печень, сердце, почки, сердце, рубец, кишки.

Приправка, подправка — то же, что подливка.

Прованское масло — оливковое масло высшего сорта.

Пропускная бумага — промокательная бумага.

Пудинг (англ. pudding — тумба, чугунная болванка, толстое, расплывшееся лицо, а еще глупая голова, набитая всем чем угодно) — английское национальное блюдо. Основными продуктами для пудинга служат белый хлеб, рис или другая крупа, яйца, молоко, масло или жир. Различные мясные или фруктовые компоненты добавляются в зависимости от того, готовится пудинг на второе блюдо или на десерт. Приготовляется на водяной бане.

Пулярда, или пулярка, — откормленная жирная курица.

Рассиропить — подсластить.

Рейнвейн — сорт виноградного вина, который производят в долине Рейна в Германии.

Ренский уксус — винный уксус, виноградное вино, перешедшее в квасное или кислое брожение.

Розовая вода — вытяжка из лепестков роз, побочный продукт при производстве розового масла.

Рубец — самый большой отдел желудка жвачных животных.

Русский перец — стручковый перец, полукустарник с красными плодами-стручками, острыми по вкусу.

Русское масло — топленое масло; во многие страны его ввозили под названием русского.

Рыбий клей — желирующее вещество, которое получают из различных органов рыб: плавательных пузырей, чешуи, плавников и т. д., богатых соединительной тканью, содержащей коллаген. Клей наилучшего качества вырабатывается из плавательных пузырей,

особенно красной рыбы (осетра, севрюги, белуги и др.). Используется для желирования соков, бульонов, мармеладов и т. д.

Сабайон, или савойский соус, — пенистый соус, который приготавливают из взбитых желтков и небольшого количества жидкости.

Савой — савойская капуста, она же итальянская, она же курчавая. Похожа на белокочанную, но имеет нежные гофрированные листья без жестких прожилок. Название происходит от графства Савойя в Италии, где этот вид капусты издавна выращивают.

Сальник — жировая складка в брюшине.

Сардель, сарделька — 1) устаревшее название сардины; 2) толстая короткая сосиска.

Свекольник — свекольная ботва.

Селитра — при засолке мяса традиционно использовали пищевую калиевую или натриевую селитру, которая служит не только консервантом, но и обеспечивает мясу приятный розоватый цвет, близкий к натуральному. Сейчас в пищевой промышленности селитру стараются не применять: продукты ее разложения, нитраты, считаются ядовитыми.

Сельдерей — огородное растение семейства зонтичных. Имеет довольно сильный запах и применяется в качестве ароматной приправы — для супов, овощных и мясных блюд (особенно подходит при приготовлении утки, гуся, баранины), при засолке. В кулинарии используется как листовой сельдерей (сами листья и стебель), так и клубневой.

Сижок — сиг, северная промысловая рыба.

Сладкое мясо — кулинарное название грудной или зобной железы. По вкусу напоминает свежий хлеб. Дефицитность продукта заключается в том, что когда теленок или ягненок взрослеет, железа эта постепенно атрофируется и у взрослого животного исчезает.

Смоленская крупа — мелкая гречневая крупа величиной с маковое зерно. Применялась

для начинок пирогов, для сладких и полусладких каш на молоке.

Снеток — небольшая рыбка длиной до 18 см, озерная корюшка.

Солод — продукт, который получают из ростков пророщенного зерна (ячменя, ржи, пшеницы, овса, проса). Используется при производстве кваса, пива, спиртных напитков. Продукт богат ферментами (белками, ускоряющими химическую реакцию в организме).

Сотерн — французское белое десертное вино.

Ссек — сорт говядины, мясо от верхней части бедра.

Столовое масло (мызное) — низкосортное масло, промытое меньше сливочного. Хорошее столовое масло в разрезе должно быть однородного цвета (светло-желтого), не должно крошиться и при нажимании не должно выпускать из себя воду. На вкус несоленое и не отдает салом.

Тельное — традиционное русское блюдо из рыбы: 1) рыбный фарш (изначальное понятие); 2) пироги и рыба, начиненные рыбным фаршем; 3) зразы из рыбного фарша.

Тмин — растение семейства зонтичных. Используются семена, которые имеют сладковатый аромат и слегка жгучий вкус. Они содержат эфирные масла и применяются не только в кулинарии и кондитерском производстве (маринады, выпечка), но и в народной медицине.

Точеный — вырезанный красивыми формочками.

Трюфель — гриб, лакомство для гурманов. Растет под землей — до 30 см от поверхности, поэтому для поиска трюфелей используют специально обученных свиней. Очень дорогой гриб, его цена превышает цену золота.

Турецкие бобы — зернобобовая культура. Из зеленых бобов готовят те же блюда, что из стручковой фасоли, только варятся они дольше. Зрелые семена турецких бобов готовят так же, как и зерновую фасоль.

Фестоны — зубчатая кайма.

Филей — то же, что филе: 1) мясо высшего сорта из средней части хребта туши; 2) вообще кусок мяса или рыбы, очищенный от костей.

Французская водка — 1) водка, полученная при перегонке виноградного сока; 2) коньяк; 3) продукт перегонки виноградных дрожжей; 4) хлебное вино, переработанное так, что оно теряет специфический хлебный вкус.

Французский белый хлеб — 1) французская булка — хлебец из пшеничной муки, продолговатой формы, весом не больше 200 г. В дореволюционной России это был очень популярный сорт хлеба благодаря своему аромату и знаменитой хрустящей корочке. Секрет французских булок заключается не в тесте, а в технологии производства; 2) французский багет — длинное тонкое хлебобулочное изделие весом 250 г.

Фрикасе — нарезанное мелкими кусочками жареное или вареное мясо с добавлением приправ.

Холодник — холодный суп, приготовленный на свекольном или щавелевом отваре либо каком-то кисломолочном продукте.

Чабер — он же чабёр, ароматная трава с перечным вкусом.

Чухонское (сметанное, кухонное) масло — коровье масло, которое получали сбиванием сметаны или кислого неснятого молока. Оно шло на нужды кухни; из него делалось также топленое (русское) масло.

Шалот — маленький репчатый лук с кисло-сладким вкусом.

Шафранный (шафрановый) порошок — пряность, которая придает блюду мягкий золотистый цвет и своеобразный запах. Слово «шафран» происходит от арабского «за-фран», что означает «желтый цвет». Шафран используют для окрашивания и ароматизации кондитерских мучных изделий, блюд из риса, кремов, подливок, а также применяют в производстве сыра, сладостей, ликеров и т. д.

Шиповка — шипучий алкогольный напиток.

Шпиговальная игла — поварской инструмент для шпигования.

Шумовка — большая ложка с частыми отверстиями, используется для снятия накипи, для вынимания мяса из бульона.

Эстрагон, или тархун, — многолетнее травянистое растение, пряность, используемая в соленьях, при консервировании, приправа к мясным блюдам.

Язь — вид рыб из семейства карповых.

Ячная (ячневая) крупа — мелкорубленая перловая крупа.

АЛФАВИТНЫЙ УКАЗАТЕЛЬ

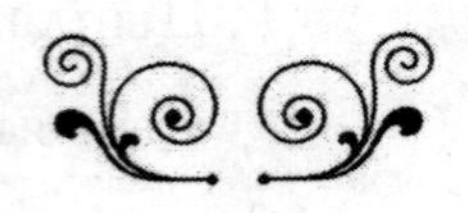

Издание для досуга

КУЛИНАРИЯ

Макарова Анна

РУССКАЯ ПОВАРЕННАЯ КНИГА

Редактор *Лилия Юсупова*
Рисунки *Алины Алейниковой*
Рисунок на обложке *Елены Шуваловой*
Дизайн обложки *Ахмеда Мусина*
Компьютерная верстка: *Николай Зенков*
Корректоры: *Ирина Львова, Лилия Юсупова*

ООО «Издательство «Э»
123308, Москва, ул. Зорге, д. 1. Тел. 8 (495) 411-68-86.

Өндіруші: «Э» АҚБ Баспасы, 123308, Мәскеу, Ресей, Зорге көшесі, 1 үй.
Тел. 8 (495) 411-68-86.
Тауар белгісі: «Э»
Қазақстан Республикасында дистрибьютор және өнім бойынша арыз-талаптарды қабылдаушының өкілі «РДЦ-Алматы» ЖШС, Алматы қ., Домбровский көш., 3«а», литер Б, офис 1.
Тел.: 8 (727) 251-59-89/90/91/92, факс: 8 (727) 251 58 12 вн. 107.
Өнімнің жарамдылық мерзімі шектелмеген.
Сертификация туралы ақпарат сайтта Өндіруші «Э»

Сведения о подтверждении соответствия издания согласно законодательству РФ о техническом регулировании можно получить на сайте Издательства «Э»

Өндірген мемлекет: Ресей
Сертификация қарастырылмаған

Подписано в печать 22.12.2015.
Формат 70x108 $^{1}/_{16}$. Печать офсетная. Усл. печ. л. 22,4.
Тираж 3 000 экз. Заказ 1024.

Отпечатано с электронных носителей издательства.
ОАО "Тверской полиграфический комбинат". 170024, г. Тверь, пр-т Ленина, 5.
Телефон: (4822) 44-52-03, 44-50-34, Телефон/факс: (4822)44-42-15
Home page - www.tverpk.ru Электронная почта (E-mail) - sales@tverpk.ru

ISBN 978-5-699-85315-1

9 785699 853151 >